中国文化二千四品

中国文化二十四品

饶宗颐 叶嘉莹 顾问
陈洪 徐兴无 主编

仁義禮智

我们心中的道德法则

周德丰 李承福 著

江苏人民出版社

图书在版编目（ＣＩＰ）数据

仁义礼智 ： 我们心中的道德法则 / 周德丰，李承福
著. -- 南京 ： 江苏人民出版社，2017.1
（中国文化二十四品）
ISBN 978-7-214-19781-8

Ⅰ. ①仁⋯ Ⅱ. ①周⋯ ②李⋯ Ⅲ. ①道德修养－中
国 Ⅳ. ①B825

中国版本图书馆CIP数据核字(2016)第281882号

书　　　名	仁义礼智——我们心中的道德法则	
著　　　者	周德丰　李承福	
责 任 编 辑	鲁从阳	
责 任 校 对	王翔宇	
装 帧 设 计	刘葶葶　张大鲁	
出 版 发 行	凤凰出版传媒股份有限公司	
	江苏人民出版社	
出版社地址	南京市湖南路1号A楼，邮编:210009	
出版社网址	http://www.jspph.com	
经　　　销	凤凰出版传媒股份有限公司	
照　　　排	南京凯建图文制作有限公司	
印　　　刷	江苏凤凰扬州鑫华印刷有限公司	
开　　　本	652 毫米×960 毫米　1/16	
印　　　张	16.75　插页3	
字　　　数	199 千字	
版　　　次	2017 年 1 月第 1 版　2017 年 3 月第 2 次印刷	
标 准 书 号	ISBN 978 - 7 - 214 - 19781 - 8	
定　　　价	42.00 元	

（江苏人民出版社图书凡印装错误可向承印厂调换）

编委会名单

顾 问

饶宗颐

叶嘉莹

主 编

陈 洪（南开大学教授）

徐兴无（南京大学教授）

编 委

王子今（中国人民大学教授）	司冰琳（首都师范大学副教授）
白长虹（南开大学教授）	孙中堂（天津中医药大学教授）
闫广芬（天津大学教授）	张伯伟（南京大学教授）
张峰屹（南开大学教授）	李建珊（南开大学教授）
李翔海（北京大学教授）	杨英杰（辽宁师范大学教授）
陈引驰（复旦大学教授）	陈 致（香港浸会大学教授）
陈 洪（南开大学教授）	周德丰（南开大学教授）
杭 间（中国美术学院教授）	侯 杰（南开大学教授）
俞士玲（南京大学教授）	赵 益（南京大学教授）
徐兴无（南京大学教授）	莫砺锋（南京大学教授）
陶慕宁（南开大学教授）	高永久（兰州大学教授）
黄德宽（安徽大学教授）	程章灿（南京大学教授）
解玉峰（南京大学教授）	

总　序

陈　洪　徐兴无

　　我们生活在文化之中,"文化"两个字是挂在嘴边上的词语,可是真要让我们说清楚文化是什么,可能就会含糊其词、吞吞吐吐了。这不怪我们,据说学术界也有 160 多种关于文化的定义。定义多,不意味着人们的思想混乱,而是文化的内涵太丰富,一言难尽。1871 年,英国文化人类学家爱德华·泰勒的《原始文化》中给出了一个定义:"文化,或文明,就其广泛的民族学意义上来说,是包含全部的知识、信仰、艺术、道德、法律、风俗,以及作为社会成员的人所掌握和接受的任何其他的才能和习惯的复合体。"[①]其实,所谓"文化",是相对于所谓"自然"而言的,在中国古代的观念里,自然属于"天",文化属于"人",只要是人类的活动及其成果,都可以归结为文化。孔子说:"饮食男女,人之大欲存焉。"[②]在这种自然欲望的驱动下,人类的活动与创造不外乎两类:生产与生殖;目标只有两个:生存与发展。但是人的生殖与生产不再是自然意义上的物种延续与食物摄取,人类生产出物质财富与精神财富,不再靠天吃饭,人不仅传递、交换基因和大自然赋予的本能,还传承、交流文化知识、智慧、情感与信仰,于是人种的繁殖与延续也成了文化的延续。

　　所以,文化根源于人类的创造能力,文化使人类摆脱了

---

　　① 　[英]爱德华·泰勒:《原始文化》,连树声译,谢继胜、尹虎彬、姜德顺校,广西师范大学出版社,2005 年,第 1 页。
　　② 　《礼记·礼运》。

自然，创造出一个属于自己的世界，让自己如鱼得水一样地生活于其中，每一个生长在人群中的人都是有文化的人，并且凭借我们的文化与自然界进行交换，利用自然、改变自然。

由于文化存在于永不停息的人类活动之中，所以人类的文化是丰富多彩、不断变化的。不同的文化有不同的方向、不同的特质、不同的形式。因为有这些差异，有的文化衰落了甚至消失了，有的文化自我更新了，人们甚至认为："文化"这个术语与其说是名词，不如说是动词。[①] 本世纪初联合国发布的《世界文化报告》中说，随着全球化的进程和信息技术的革命，"文化再也不是以前人们所认为的是个静止不变的、封闭的、固定的集装箱。文化实际上变成了通过媒体和国际因特网在全球进行交流的跨越分界的创造。我们现在必须把文化看作一个过程，而不是一个已经完成的产品"[②]。

知道文化是什么之后，还要了解一下文化观，也就是人们对文化的认识与态度。文化观首先要回答下面的问题：我们的文化是从哪里来的？不同的民族、宗教、文化共同体中的人们的看法异彩纷呈，但自古以来，人类有一个共同的信仰，那就是：文化不是我们这些平凡的人创造的。

有的认为是神赐予的，比如古希腊神话中，神的后裔普罗米修斯不仅造了人，而且教会人类认识天文地理、制造舟车、掌握文字，还给人类盗来了文明的火种。代表希伯来文化的《旧约》中，上帝用了一个星期创造世界，在第六天按照自己的样子创造了人类，并教会人们获得食物的方法，赋予人类管理世界的文化使命。

---

① 参见［荷兰］C. A. 冯·皮尔森：《文化战略》，刘利圭等译，中国社会科学出版社，1992年，第2页。

② 联合国教科文组织编：《世界文化报告——文化的多样性、冲突与多元共存》，关世杰等译，北京大学出版社，2002年，第9页。

有的认为是圣人创造的,这方面,中国古代文化堪称代表:火是燧人氏发现的,八卦是伏羲画的,舟车是黄帝造的,文字是仓颉造的……不过圣人创造文化不是凭空想出来的,而是受到天地万物和自我身体的启示,中国古老的《易经》里说古代圣人造物的方法是:"仰则观象于天,俯则观法于地,观鸟兽之文与地之宜,近取诸身,远取诸物。"《易经》最早给出了中国的"文化"和"文明"的定义:"刚柔交错,天文也。文明以止,人文也。观乎天文,以察时变;观乎人文,以化成天下。"文指文采、纹理,引申为文饰与秩序。因为有刚、柔两种力量的交会作用,宇宙摆脱了混沌无序,于是有了天文。天文焕发出的光明被人类效法取用,于是摆脱了野蛮,有了人文。圣人通过观察天文,预知自然的变化;通过观察人文,教化人类社会。《易经》还告诉我们:"一阴一阳之谓道,继之者善也,成之者性也。仁者见之谓之仁,知者见之谓之知。"宇宙自然中存在、运行着"道",其中包含着阴阳两种动力,它们就像男人和女人生育子女一样不断化生着万事万物,赋予事物种种本性,只有圣人、君子们才能受到"道"的启发,从中见仁见智,这种觉悟和意识相当于我们现代文化学理论中所谓的"文化自觉"。

为什么圣人能够这样呢?因为我们这些平凡的百姓不具备"文化自觉"的意识,身在道中却不知道。所以《易经》感慨道:"百姓日用而不知,故君子之道鲜矣。"什么是"君子之道鲜"?"鲜"就是少,指的是文化不昌明,因此必须等待圣人来启蒙教化百姓。中国文化中的文化使命是由圣贤来承担的,所以孟子说,上天生育人民,让其中的"先知觉后知""先觉觉后觉"①。

---

① 《孟子·万章》。

无论文化是神灵赐予的还是圣人创造的,都是崇高神圣的,因此每个文化共同体的人们都会认同、赞美自己的文化,以自己的文化价值观看待自然、社会和自我,调节个人心灵与环境的关系,养成和谐的行为方式。

　　中国现在正处在一个喜欢谈论文化的时代。平民百姓关注茶文化、酒文化、美食文化、养生文化,说明我们希望为平凡的日常生活寻找一些价值与意义。社会、国家关注政治文化、道德文化、风俗文化、传统文化、文化传承与创新,提倡发扬优秀的传统文化,说明我们希望为国家和民族寻求精神力量与发展方向。神和圣人统治、教化天下的时代已经成为历史,只有我们这些平凡的百姓都有了"文化自觉",认识到我们每个人都是文化的继承者和创造者,整个社会和国家才能拥有"文化自信"。

　　不过,我们越是在摆脱"百姓日用而不知"的"文化蒙昧"时代,就越是要反思我们的"文化自觉",因为"文化自觉"是很难达到的境界。喜欢谈论文化,懂点文化,或者有了"文化意识"就能有"文化自觉"吗? 答案是否定的。比如我们常常表现出"文化自大"或者"文化自卑"两种文化意识,为什么会这样呢? 因为我们不可能生活在单一不变的文化之中,从古到今,中国文化不断地与其他文化邂逅、对话、冲突、融合;我们生活在其中的中国文化不仅不再是古代的文化,而且不停地在变革着。此时我们或者会受到自身文化的局限,或者会受到其他文化的左右,产生错误的文化意识。子在川上曰:"逝者如斯夫。"流水如此,文化也如此。对于中国文化的主流和脉络,我们不仅要有"春江水暖鸭先知"一般的亲切体会和细微察觉,还要像孔子那样站在岸上观察,用人类历史长河的时间坐标和全球多元文化的空间坐标定位中国文化,才能获得超越的眼光和客观真实的知识,增强与其他文化交

流、借鉴、融合的能力,增强变革、创新自己的文化的能力,这也叫做"文化自主"的能力。中国当代社会人类学家费孝通先生说:

　　"文化自觉"是当今时代的要求,它指的是生活在一定文化中的人对其文化有自知之明,并对其发展历程和未来有充分的认识。也许可以说,文化自觉就是在全球范围内提倡"和而不同"的文化观的一种具体体现。希望中国文化在对全球化潮流的回应中能够继往开来,大有作为。①

　　因为要具备"文化自觉"的意识、树立"文化自信"的心态、增强"文化自主"的能力,所以,我们这些平凡的百姓需要不断地了解自己的文化,进而了解他人的文化。
　　中国文化是我们自己的文化,它博大精深,但也不是不得其门而入。为此,我们这些学人们集合到一起,共同编写了这套有关中国文化的通识丛书,向读者介绍中国文化的发展历程、特征、物质成就、制度文明和精神文明等主要知识,在介绍的同时,帮助读者选读一些有关中国文化的经典资料。在这里我们特别感谢饶宗颐和叶嘉莹两位大师前辈的指导与支持,他们还担任了本丛书的顾问。
　　中国文化崇尚"天人合一",中国人写书也有"究天人之际,通古今之变"的理想,甚至将书中的内容按照宇宙的秩序罗列,比如中国古代的《周礼》设计国家制度,按照时空秩序分为"天地春夏秋冬"六大官僚系统;吕不韦编写《吕氏春

---

① 费孝通:《经济全球化和中国"三级两跳"中的文化思考》,《光明日报》2000年11月7日。

秋》,按照一年十二月为序,编为《十二纪》;唐代司空图写作《诗品》品评中国的诗歌风格,又称《二十四诗品》,因为一年有二十四个节气。我们这套丛书,虽不能穷尽中国文化的内容,但希望能体现中国文化的趣味,于是借用了"二十四品"的雅号,奉献一组中国文化的小品,相信读者一定能够以小知大,由浅入深,如古人所说:"尝一脔肉,而知一镬之味,一鼎之调。"

2015 年 7 月

目　录

导语:中国传统美德与东方人道主义精神的一道靓丽霞光

仁、义、礼、智,国之四德。它滥觞于远古,初创于孔孟,酝酿于整个春秋战国百家争鸣的文化轴心时代。它在汉代形成初步成熟的思想系统,此后渐行渐丰,日臻完备,终于成为中华民族基本道德德目和核心价值。它是国人维系人伦、优化人性、弘扬人道的道德根基,是民族凝聚、社会和谐的精神源泉,也是个人成长、修身养性的行为规范。它陶冶了无数志士仁人、大德君子在德业双修、公能并茂的人生道路上孜孜奋进,发皇无垠。

仁、义、礼、智四项传统美德,两千多年间影响的范围至广至大,影响的历史至深至远,不仅泽被中国,而且沾溉东亚,甚至走出国门,走向世界,因此我们可以称之为东方人道主义。

多样化的概括:千古相传的中华美德

考察世界各民族的文化史,可以看到:为了维系社会、整饬人心,没有一个民族的文化是不要道德或不讲道德的;但没有一个民族像中国一样,把道德在文化价值体系中提升到最崇高的位置,把伦理观念贯彻到文化的各个领域、各个门类之中。以言哲学,以儒家为主体的中国哲学是伦理型的哲学,其体系的核心部位是伦理学说,宇宙本体是道德形上学之实体,哲学的理性是偏重道德化的实践理性,中国哲学家多以"圣贤气象"呈现于世。以言文学,中国文学在文学的社会功能上强调"文以载道"的伦理教化作用,在文学手法上提倡"乐而不淫,哀而不伤"的中和之美和"温柔敦厚"的"诗教"精神,在文学的评判上追求"美善合一"的价值标准。以言史学,中国史学重视史德、史学、史才、史识之高度统一,强调秉笔直书、书法不隐的"直笔"精神,倡导以史为鉴、学兼天人、会通古今的史家风范。至于在经济生活上,则强调"正德"、"利用"、"厚生"三者一致,在学术风范上尊崇"道"、"学"、"政"三者合一,在医学上以"医者仁术"为最高境界,在军事上则期待为将者应做儒将,力求"智、信、仁、勇、严"五德齐备,"阙一不可",并做到"驰骋疆场之上,沉潜仁义之中",如此等等。

上述现象,决非偶然。在中国道德史上,早在"六经"时代,《尚书》就把人的道德概括为九项:宽而栗(坚强),柔而立,愿而恭,乱(治,有序)而敬,扰(劳)而毅,直而温,简而廉,刚而塞(有节制),强而义。孔子则建构了一个完备而简明的道德规范体系,他以仁、智、勇为"三达德",围绕三达德又提出了忠、悌、恕、恭、宽、信、敏、惠、温、良、俭、让、礼、诚、敬、慈、直、简、克己、中庸、贵和等一系列德目,大大丰富了中国传统道德观念。《管子》提出所谓"四维","四维"是指礼、义、廉、耻四个德目,《管子》中还有一句很著名的话:"礼义廉耻,国之四维;四维不张,国乃灭亡。"这句话的影响是很深远的。值得注意的是,孟子以仁、义、礼、智为"四基德"或"四母德",将它扩展为"五伦十教",即君惠臣忠、父慈子孝、兄友弟恭、夫义妇随、朋友有信。孟子的这些概括,显然是对中国传统伦理道德观念的综合和发展,对于儒家伦理具有承上启下的特殊作用。汉代的董仲舒、班固整理的《白虎道德论》以及郑玄诸人都把仁、义、礼、智、信作为中国传统道德的基本范畴,称之为"五德"或"五常"。

在当代中国,伦理学家和文化学者对于中国传统道德观念也有一些新的概括,比如张岱年、方克立二位先生主编的《中国文化概论》,提出"中华民族十大传统道德"的命题,其具体德目为:一、仁爱孝悌;二、谦和好礼;三、诚信知报;四、精忠报国;五、克己奉公;六、修己慎独;七、见利思义;八、勤俭廉政;九、笃实宽厚;十、勇毅力行。这些新的概括及阐述,对于我们正确认识中国传统道德的内容、含义、价值以及现代意义,是极具指导作用的。

人伦、人性、人道：东方人道精神

中国传统伦理学是以三个重要维度支撑其基本框架结构的,这就是中国传统社会的人伦关系及人伦意识、中国先哲对人性的剖析与认识、中国传统的人道主义或人文主义精神。这三个重要维度是三位一体,缺一不可的。

一、人伦原理

中国传统社会和传统道德的形成有两个重要的基础:其一是小农经济、自然经济的生产方式,其二是以家族血缘关系、地缘关系为纽带的宗法关系,即家国一体的政治结构。在此基础上,中华民族必然注重以伦理道德为核心的人伦关系。早在氏族社会时期,中国民间就存在很多作为社会习俗法规的礼仪,经过西周的维新,又把它们创造性地转化成为文明社会的秩序规范,此即"周礼"。在春秋时期,面对"礼崩乐坏"的局面,孔子对"礼"又进行了伦理化、道德化的提升,提出了君臣父子、尊尊亲亲的人伦原则,后经过孟子及后世儒家的不断整合,人伦关系原理逐渐明朗确定,它包括:

第一,"五伦"概念。五伦是中国人伦的基本范型,所谓君惠臣忠、父慈子孝、兄友弟恭、夫义妇顺、朋友有信,就是五伦关系的基本规定性,它贯穿于中国传统生活的各个方面、各个领域,它把家族血缘和乡土地缘的情理提升扩大为社会伦常原理和国家政治原理,建构起身、家、国、天下多位一体的伦理关系。这就是孟子所说的:"人有恒言,皆曰'天下国家'。天下之本在国,国之本在家,家之本在身。"(《孟子·离娄下〉〉这种伦理关系必然强调以孝悌为本的道德价值取向,倡导返本回报、互惠互利的双向互动关系,主张互以对方为重的人伦价值,从而达到个人伦理、家族伦理、社会伦理、国家伦理乃至宇宙伦理之贯通。

第二,整体取向。五伦概念重视整体秩序、集体利益、团队精神,认为整体秩序是最高的价值取向,个体与团体相比,永远是己轻群重,群体利益永远高于个体利益,个体应该在既有的人伦秩序中安伦尽份。中国传统伦理学不断展开的公私之辨、群己之辨、义利之辨,都贯注这一价值取向。

第三,扶植孤弱。在小农自然经济生产方式和产品供给匮乏的状况下,贫富不免分化,贵贱不免更替,但在人伦关系的约定下,社会应对弱势群体给以关注。《礼记·礼运》中说:"故人不独其亲,不独子其子,使老有所终,壮有所用,幼有所长。矜、寡、孤、独、疾、废者,皆有所养。"孟子提倡:"出入相友,守望相助,疾病相扶持。""老吾老,以及人之老;幼吾幼,以及人之幼。"(《孟子·梁惠王上》)张载在《西铭》中劝导:"尊高年,所以长其长;慈孤弱,所以幼其幼。"总之,济困救危,扶植孤弱,也是处理人伦关系的题中应有之义。

二、人性剖析

人性善恶的剖析论证,是中国传统伦理思想体系的理论基础。在先秦儒家内部就有人性善恶之争。孟子主张人性本善,他认为人性是指人区别于动物的内在规定,人与动物的根本区别在于人具有仁、义、礼、智四种品德的萌芽,可以使之成长起来。荀子也承认,道德是人区别于动物的根本规定性,但他认为道德规范不是天赋的、固有的、与生俱来的,而是后天人为的、文明积淀的结果。至于人生而与具的自然本性则是恶的,如"目好色,耳好声,口好味,心好利,骨体肤理好愉佚"(《荀子·性恶》),皆出于人之本性。荀子虽然认为人性本恶,但并不认为人性是不可改变的。相反,他主张通过"化性起伪",不断提高人的道德水准,注重后天的修养与锻炼。可见孟荀的人性论在形式上截然对立,实际上却是异中有同,得失互见,甚至殊途同归。郭沫若说得好:"孟子道性善,荀子道性恶,说虽不同,而用意则一,盖性善故能学,性恶必须学也。"

中国传统人性思想虽有人性本善、人性本恶、人性三品等等说法,但有几个基本观念是共同相通的。其一,严判人兽之分,凸显人性尊严。各家的研判起点都是"人之异于禽兽者",即把人性看成是异于动物、高于动物的东西,把道德理性作为人性的主要内容。可以说,整个的中国伦理学就建立在对于人性信赖、期盼、希冀的基础上,认为人性有向好向善的必要性,而这一点是正确而深刻的。其二,肯定人格平等,人人皆可成圣。人的社会政治、经济地位虽有等差阶次,甚至有贵贱、贫富、尊卑的悬隔,但中国传统伦理学却认为人的道德人格是均等的,君子小人的伦理地位是可以转化的,人人都有向上修炼、成圣成贤的可能性。孟子所谓"人皆可以为尧舜"和荀子所称"涂之人可以为禹",这两大命题最具代表性,它们折射出来的思想理论的光芒是璀璨夺目的。其三,重视修身养性,追求内圣外王。中国传统伦理学认为,人的内在本性之中含有道德的良好要素,"万物皆备于我","反身而诚,乐莫大焉"。孟子提出"良贵"概念,所谓"良贵"就是"人人有贵于己者",亦即人的内在价值最为宝贵,是任何身外之物所不能比拟的。人的自觉修养的实质是不断超越自身,走内在超越之路,提升道德修养的境界和层次,并寻求内外的融通结合。对这一思想表达最为系统的是《大学》《中庸》。《大学》提出:"大学之道,在明明德,在亲民,在止于至善。"古之欲明明德于天下者,必治其国。欲治其国者,先齐其家。欲齐其家者,先修其身。欲修其身者,先正其心。欲正其心者,先诚其意。欲诚其意者,先致其知。致知在格物。"这即是儒家内圣外王之学,其中格物、致知、诚意、正心、修身五目属于内圣之学,齐家、治国、平天下属于外王之学。《中庸》论述"尽性"(即内在道德修养)与"参赞化育"(即对外部事物的改造)的关系云:"唯天下之至诚,为能尽其性;能尽其性,则能尽人之性;能尽人之性,则能尽物之性;能尽物之性,则可以赞天地之化育;能赞天地之化育,则可以与天地参矣。"先秦儒家的内圣外王之学被后世儒者视为儒家价值观的核心,并称之为内外并举、本末兼顾的"十字大开"的基本模式。

三、人道原则

人伦既立,人性既明,东方人道原则和人文精神便从中产生。这一原则和精神集中凝结为四大伦理范畴:仁、义、礼、智。换言之,仁、义、礼、智四德之概括最能彰显人道原则和人文精神。

"仁"字古已有之,从二从人,显然是指人际关系,但这种人际关系主要是指"爱亲之谓仁",即以血缘关系为纽带的家庭家族关系。"孔子贵仁"(《吕氏春秋·不二》),可以说孔子以仁为中心建立了儒家伦理学。孔子主张"仁者爱人",意即仁者应把人当作人来爱护,这是东方人道主义的第一个自觉命题,具有极大的创新性。他还把为仁之方叫做"忠恕之道"。忠恕之道包括正反两面,其正面就是"己欲立而立人,己欲达而达人",其反面就是"己所不欲,勿施于人"。用今天的话讲就是换位思考,将心比心。孔子的这一"忠恕之道"后来在儒家经典《大学》中被发挥得更加淋漓尽致,其言曰:"所恶于上,毋以使下;所恶于下,毋以事上;所恶于前,毋以先后;所恶于后,毋以从前;所恶于右,毋以加于左;所恶于左,毋以加于右;此之谓絜矩之道。""絜矩之道"就是以自己衡量别人之道。对从事治国理政的管理者来说,能够宽以待民,惠以使民,勿行苛政,就算"仁人",其所施政就算"仁政"。孔子倡导:"为政以德,譬如北辰,居其所而群星拱之。"(《论语·为政》)上述思想在历史上产生了很大的影响。

孟子继承孔子的仁学思想,力倡"仁政",反对暴力。他认为仁政与暴政的分野,在于是"以德服人"还是"以力服人":"以力服人者,非心服也,力不赡也;以德服人者,中心悦而诚服也。"(《孟子·公孙丑上》)他认为:国君若施行仁政,首要的是在经济上使民有恒产,要使八口之家有百亩之田,打了粮食可以吃饱,养了家畜可以吃肉,种桑养蚕可以穿衣,于是"民有恒产乃有恒心",在此基础上进一步推行教化,就可使人们孝敬父母,尊重长者,形成淳朴民风。孟子还提出"民贵君轻"的古代民主思想。他认为在社会政治生活中,民众最为重要,是国家、诸侯、天子存亡或变更的最根本的因素,即所谓"民为贵,社稷次之,君为轻",因为天子、诸侯、大夫、国家都是可以改变置换的,只有民众是历朝历代不变的基石,因而人民是最根本的。孟子还提出国事由国人来决定的古代民主论,他说:"左右皆曰贤,未可也;诸大夫皆曰贤,未可也;国人皆曰贤,然后察之,见贤焉,然后用之。左右皆曰不可,勿听;诸大夫皆曰不可,勿听;国人皆曰不可,然后察之,见不可焉,然后去之。左右皆曰可杀,勿听;诸大夫皆曰可杀,勿听;国人皆曰可杀,然后察之,见可杀焉,然后杀之。"(《孟子·梁惠王下》)孟子的"民贵君轻"的思想在当时虽不能达到近代西方资产阶级反封建的认识高度,但也揭示了人民在社会历史发展过程中的重要作用,肯定了民心向背具有不可抗拒的力量,他说的"得民心者得天下,失民心者失天下"、"天时不如地利,地利不如人和"、"得道者多助,失道者寡助"(《孟子·公孙丑下》)等观点,都成为流传不息的千古名言,极大地丰富了孔子的仁学思想,高扬了东方人道主义精神。

孔子贵仁,同时讲"义",如"君子义以为质"(《论语·卫灵公》),"行义以达其道"(《论语·季氏》)。"义"字多训为"宜","义"是某种适宜的原则,适宜的标准是与"仁"的配合相应,现仁即为义,尽仁即为宜。合乎人道精神的行为就是"义",相反就是"不义",如孔子谓"义然后取","不义而富且贵,于我如浮云"(《论语·述而》)。墨子是从儒家中分化出来的,因此与儒家精神颇多一致,他既讲"兼爱"也讲"贵义"。他理解的"义"就是"正":"义者,正也。何以知义之为正也?天下有义则治,无义则乱。我以此知义之为正也。"(《墨子·天志》)墨子对"义"的正面解读就是:"有力者疾以助人,有财者勉以分人,有道者劝以教人";其负面解读则是:"大不攻小","强不侮弱","众不贼寡","智不欺愚","贵不傲贱","富不骄贫","壮不夺老";并身体力行地倡导"兼相爱,交相利"以行大义,充分展示了极富人民性的人道主义精神。孟子首次将"仁义"并举,认为"仁"是内心之安宅,"义"是所由之正路;"仁"的发端是"恻隐之心",由恻隐之心而生"羞恶之心"即道德感,便是"义"的发端。当"义"的观念形成,它便是区分善恶荣辱的基准、道德行为的准则、"当"与"不当"的试金石。孟子严申义利之辨,旨在阐明群己关系,彰显义的社会属性,展示一种有崇高价值的生命的境界,影响所及,十分深远。

"礼"之起源甚早,从最早崇拜日月星辰、山川鬼神,到后来尊天事鬼、敬天法祖,"礼"始终是贯穿其间的一条主线。

《左传》所云"夫礼,天之经也,民之行也",就高度概括地反映了"礼"在先民生活中的这种地位和作用。周公"制礼作乐",将"礼"做了全面的人文化的加工整合,形成了系统的周礼制度,它包括礼文、礼制、礼器、礼容,这就是孔子由衷赞叹"郁郁乎文哉,吾从周"的礼乐文化。但孔子对周礼重其义而轻其仪,给上古文化以新的诠释,使之成为服务于仁学的精神因子。孟子也强调礼的内在精神,将"礼"规定成一种根植于人心的道德践履活动,从而提升了它的人文品位。

"智"亦作"知",《说文解字》段注:"此(指"智"字)与矢部'知'音义皆同,故二字多通用。"孔子的名言:"知者不惑,仁者不忧,勇者不惧"(《论语·子罕》),树立了一个儒家心目中的完备人格。到了孟子这里,仁、义、礼、智相提并论,融为一体。孟子之"智",主要是明辨是非,具有某种内在性的"良知良能",它是人之为人的根本属性;它虽与生命俱来,还要靠后天的不断开发扩充,才能真正完备。孟子之"智"具有明显的道德理性的色彩。正因乎此,荀子特意区分"知之在人者谓之知,知有所合谓之智"(《荀子·正名》),让"智"的概念在道德理性之外,还具有知识理性的涵义,拓展了"智"的外延,使"智"这项美德更具有人文的内涵。

就仁、义、礼、智"四基德"全体而言,儒家圣贤学者对"四基德"虽各有侧重,但仁始终是最核心的道德价值。孔子说"杀身成仁",注重讲仁;孟子说"舍生取义",注重论义;荀子强调"治国平天下",注重言礼;朱子强调"格物致知",注重谈智。但不论是孟子、荀子,还是汉代董仲舒、唐代韩愈,或是号称北宋五子的周敦颐、程颢、程颐、邵雍、张载,以及王安石、朱熹、陆九渊、王阳明,都承认仁是中国传统道德体系的核心范畴。朱熹作为先秦之后儒家学说的集大成者,提出:"仁固仁之本体也,义则仁之断制也,礼则仁之节文也,智则仁之分别也。"(《晦庵集》卷七十四)"仁者,本心之全德。"
(《论语·颜渊》注)所有道德范畴都总归于仁。因此,仁是
"四基德"的核心和总精神;义是仁爱的适度,是依据内心仁
的理念,适宜地处世的准则;礼是仁的体现,是依照仁而制定
出既定的生活规范;智是对仁的体认,是因时因地地分辨时
势潮流,恰当地诠释仁的内涵,把握义的衡量,制定礼的形
式,因而智使得"四基德"能够顺应时代变化,历久弥新。

"通理""常道"：仁、义、礼、智的价值定位

当代著名伦理学家朱贻庭先生，是高等教育"十一五"国家级规划教材《中国传统伦理思想史》的主编，从事中国传统伦理学研究已有半个世纪的历程。他提出的一个重要观点颇具启发性，他说：

> 在传统伦理中确实有许多古今相通之理……它不仅存在于传统伦理之中，而且作为历史积淀又存在于民族的群体意识中，因而既是历时态的东西，又是共时态的存在。当然，发现"通理"，就其运思过程而言，的确需要进行理论抽象，但同时又作了现实的检验、筛选和改造，赋予了时代的内容和形式，因而就可以融入现代伦理建构。

> 尽管古今社会的形态、性质、结构有别，但作为同一个民族共同体及其生命的延续，自古及今，不仅有共同的语言和共同的习俗、习性，而且都有一些共同的伦理问题……传统伦理，主要是儒家提供了一系列符合社会共同体赖以生存和发展的具有普遍意义的东西，这就是我们所说的古今通理。

笔者相信，在社会伦理方面古往今来确实存在着古今通理、人类常道。比如：勤政廉政，刚正不阿，执法严明，这是从政者应遵循的古今通理常道；勤学善思，孜孜以求，努力探索，这是治学者应遵循的古今通理常道；公平交易，童叟无欺，货

真价实,这是经商者应遵循的古今通理常道;辛勤耕耘,不违农时,劳而后获,这是务农者应遵循的古今通理常道;救死扶伤,体恤病患,珍爱生命,这是行医者应遵循的古今通理常道。如果违背这些通理常道,就会被人们普遍地认定为"失德"。

上述通理常道多与人们的职业道德操守相联系,若谈到中国自古以来人们一致认同的道德命题、道德理念,则有仁者爱人、仁民爱物、大爱无疆、兼爱天下、与人为善、天下为公、协和万邦、和而不同、义以为质、见利思义、见义勇为、道义为先、自强不息、厚德载物、民胞物与、尊师重道、修身慎独、禁奢崇俭、俭以养德、刚正不阿、推己及人、为人表率等等。这些道德命题和理念,更具有超越某些职业道德行业操守的一般意义,更应被视为人类社会应共同遵循的通理常道,更具有普遍价值。

若认同此理,则仁、义、礼、智便是中国传统道德中具有最高层次普遍适用性的基本理念,故而仁、义、礼、智向有"四基德"、"四母德"之称。在这方面,我们必须承认孟子有独特的贡献,他将四德整合起来,称:"恻隐之心,仁也;羞恶之心,义也;恭敬之心,礼也;是非之心,智也。"(《孟子·告子上》)对此,近人罗根泽《孟子传论》揭示得很清楚:

> 孟子之学,植根性善,而以仁为归宿。仁者何?孟子自释曰:"仁也者,人也。合而言之,道也。"……然则仁之义无他,人与人相偶相亲之道也。及其倡行,则每辅之以义、理、礼、智。义者,裁制事物之宜,理者,条分缕析使不爽,礼以节文,智以察理。

在孟子概括的四德之中,仁是指人之所以为人的人道原则,

15

其余各项都是辅助仁的;义的重点是裁制事物使之适宜得体;礼的重点是施仁行仁的礼仪规范;智的重点是以理性态度把握仁义之理,并尽可能使之合于礼数。拙作提出:仁是中华传统道德的魂魄,义是中华传统道德的辅翼,礼是中华传统道德的骨干,智是中华传统道德的血脉,也无非表明仁、义、礼、智四者之间的主辅关系,相互补充、相互完善以及相互诠释的互动关系而已,与前修时贤的见解是一致的。在这方面,南宋陈淳《北溪字义》对仁、义、礼、智的诠释也有重要参考价值,他说:

> 分别看,仁是爱之理,义是宜之礼,礼是敬之礼,智是知之理。……专就仁看,则仁又较大,能兼统四者,故仁者乃心之德。……仁所以长众善,而专一心之全德者,何故? 盖人心所具之天理全体都是仁……举其全体而言则谓之仁,而义、礼、智皆包在其中。

陈淳是朱熹的优秀弟子,对传统儒学有深刻的理解,陈淳的解说,除却其"天理流行"观念表现出一定的理学特色而外,对仁、义、礼、智四者关系的界定还是十分精准的。

清朝著名汉学家和唯物主义哲学家戴震则从"气化流行,生生不息"的宇宙本体论高度诠释仁、义、礼、智四德,其言曰:

> 自人道溯之天道,自人之德性溯之天德,则气化流行,生生不息,仁也。由其生生,有自然之条理,观于条理之秩然有序,可以知礼矣;观于条理之截然不可乱,可以知义矣。在天为气化之生生,在人为其生生之心,是乃人之为德也;在天为气化推行之条理,在人为其心知

> 之通乎条理而不紊,是乃智之为德也。惟条理,是以生生;条理苟失,则生生之道绝。凡仁义对文及仁智对文,皆兼生生、条理而言之者也。(《孟子字义疏证·仁义礼智》)

这种诠释突出强调了"天道"与"人道"的一致,"人道"与"天道"同样受到"气化流行"的宇宙法则的支配,更加彰显了仁、义、礼、智属于通理常道,应为社会所尊重,应为人类所遵循的重大意蕴。

不难看出,只要人类与天地共存,只要人类还有情感,那么作为向善理念的仁,作为处世准则的义,作为社会规范的礼,作为行事省思的智,都取之于人情,必定成为人类的通理常道。正如《礼记》所言:

> 有恩有理,有节有权,取之人情也。恩者仁也,理者义也,节者礼也,权者知也。仁义礼智,人道具矣。(《礼记·丧服》)

仁、义、礼、智"四基德",从最基本的理念到最普遍的准则,再到最一般的规范,最后落实到现实的体认,将理想与现实、形上与形下结合在一起,完美地构成了展示东方人道主义精神的中华传统道德体系。

综上所述,以儒家伦理为主体的中国传统道德,生根于中华,传递于东亚,在西方近代文艺复兴运动期间还远播于欧洲,产生了极为深厚长久的影响。日本现代著名的政治活动家吉田茂认为:中华民族是"东方最优秀的民族","古代的中国拥有非常先进的文明,对日本来说,学习中国是一个莫大的恩惠"。法国百科全书派的领袖狄德罗则说:"举世公认,中国人历史悠久,智力发达,艺术上卓有成就,而且讲道德,善政治,酷爱哲学;因而,他们比亚洲其他各民族都优秀。以某些著作家的看法,他们甚至可以同欧洲那些最文明的国家争辉。"罗素认为:"中国人所发明的人生之道实行数千年,苟为全世界所采纳,则全世界当较今日为乐。"我国现代学者郭沫若认为:孔子的仁学思想是对于"人的发现"。张申府认为:仁出于东,科学方法出于西,这是人类两项最可宝贵的东西,其中孔子仁学是人之所以为人的最高准则。庞朴认为:古代文化有希腊、中东和中国三种类型。希腊文化注重人与自然的关系,中东文化注重人与神的关系,中国文化注重人与人的关系,因此中国文化可以称作人文主义文化。至于现代新儒家学者对于中国传统伦理道德的肯定,对于仁义礼智价值的认同,则更是不胜枚举,俯拾皆是。据此,我们可以毫不迟疑地下一断语:仁、义、礼、智乃是中国传统美德,是东方人道主义一道亮丽的霞光,是我们今天仍然可以继续秉持、继续坚守、继续弘扬的核心价值。当然,我们不排除要结合我们的现代生活和广大人民群众的实践,给它们以现代的诠释、科学的解析和创造性的转换,以便让东方人道主义这道古老的霞光更加流光溢彩,辉煌夺目!

仁:中华传统道德精神的魂魄

　　中华民族早在远古时代,就开始有了"仁"的观念,为了说明这一点,我们可以稍稍作一点文字考释。"仁"字从甲骨文、金文、篆籀到楷书,形体多样,至少有下面几种:

　　甲骨文的"仁"字写作"彳",到了汉代写为仁。汉代许慎在《说文解字》中解释说:"仁,亲也,从人二。"并补充道:"忎,古文仁,从千心","尸,古文仁,或从尸"。

　　从"仁"的字形上推测"仁"的语义起源,学者通常认为,"仁"字从人二,从千心,是表明人与人之间应有的相亲相爱、互相合作的心理情感状态。除此以外,"仁"的字源解释还有另外两种说法。一种说法认为"仁"的观念源于古代丧祭礼仪制度。最早的"仁"字形,左旁彳,或身,或厂,表示的是人的尸体。殷商时期丧葬死者时,实行屈肢葬,让尸体屈肢侧卧,所以"仁"字的左旁就是古代死人葬肢的形状。葬尸而祭时,祭者对逝去的亲者尽哀尽敬之情自然流露。"仁"最初就是对祖先的一种极端虔诚和敬拜的自然情感，如同祖先还活着，就在眼前一样，无比地怜爱和敬重。"仁"正是古人在对死去祖先或亲人尽祭尽哀这个环节上"孝"的表现，因而"仁"从最初对祖先神灵的尽心，后来变为对还活着的老者尊长的尽孝，尊亲尽孝成为"仁"的根本了。

另一种说法认为"仁"的古字右旁"二"只是造字时的重文标记，"仁"的古字左旁亻，或，或厂，不是"人"字，也不是"尸"字，而是"夷"字，表示在古代的山东沿海到江苏北边一带，有叫东夷的少数民族，他们的邦国被称为君子国，那里的氏族拥有浓厚的亲情之爱，所以"仁"最早就是指代夷族亲情之爱的美德。而春秋时代"天下无道"，诸侯国之间为土地城池相互征战，民众为争夺钱财尔虞我诈，"仁"被有识之士认为是解救华夏族社会危机、安定社会秩序最需要的精神价值。因此，"仁"字原初就是借指东夷氏族的亲情美德。

在中国通行的古代文献中，《尚书》用"仁"字有 5 处，《诗经》用"仁"字有 7 处，《周易》用"仁"字有 10 处，属于较早使用"仁"字的记录。如《尚书·商书·仲虺之诰》："克宽克仁，彰信兆民。"记录了商汤彰显宽厚仁爱的美德，取得民众的信任和爱戴。《尚书·周书·金滕》记载："予仁若考，能多材多艺，能事鬼神。"说周公认为他具备周成王先人一样的仁德，既有多种多样的才能和技艺,又能够尊奉鬼神、祭祀祖先。《诗经》中也多处提及"仁"。《诗经·郑风·叔于田》曰:"洵美且仁。"赞颂"叔"美好而又具有仁德。《诗经·齐风·卢令》云:"卢令令,其人美且仁。"称赏猎人既漂亮而又怀有仁德。《国语·晋语》也说:"爱亲之为仁。"不难看出,爱亲是"仁"的心理根源。爱亲浓厚情感爆发最强烈的无疑是亲人的去世和祭祀,"仁"字的含义最早可能就是从中演变而来。

由此可见,"仁"的字义随着时间的推移,不断演变,愈加丰富。从远古的祭祀,到人的心性意志,到道德情感,再到行事风格,以至国事政制,都可以蕴有"仁"的内涵。"仁"的含义由爱亲之情扩展,凝成人的内在品格,再延伸到后来的爱人之意,以至逐渐成为农耕时代的基本道德和价值观念,是一个漫长的发展过程。

仁学新创："天不生仲尼，万古长如夜"

　　宋朝有一位无名氏诗人，写了两句诗，流传久远，颇具影响。其诗曰："天不生仲尼，万古长如夜。"（见《朱子语类》卷九十三）这话给孔子以很高的历史地位，乍一看颇有夸张、鼓吹的意蕴。但细想，这话有一个基本观点是对的，即从人类精神自觉的角度评价孔子，是很有见地的。人类有无精神自觉是大不一样的：人无精神自觉，虽然也穿衣吃饭，但如同在暗夜中盲目行走，不知所之；人有精神自觉，生活的方方面面就如同有了指路明灯，一束光华照亮坦途，于是人生的意义就不一样。孔子就是这样一位在中华民族乃至人类精神发展史上具有标志性的人物，他的精神创造虽然很多，但仁学思想体系无疑是他精神创造的最大亮点。虽说"仁"字远古既有，并历经各种形态的演变，然而真正对"仁"字作全面而深刻阐发的第一人当推孔子。孔子的"仁学"创造性地将"仁"的含义从"爱亲"演绎到"爱人",从一般私人情感提升到社会道德,成为现今我们所理解的仁德的基本源泉。

现今我们所理解的"仁",主要归功于孔子创造性的阐释。孔子和弟子探讨做人处事之道,最重要的理念莫过于"仁"字。据杨伯峻《论语释义·论语词典》,"仁"字在《论语》中出现了 109 次,孔子弟子先后有 7 次特意"问仁"。可以说《论语》全面探讨了"仁"的本质、内容,以及为仁的方法和意义。

一、仁的本质:博爱之心

血缘的亲亲之爱是最原始的人伦观念,是仁的心理基础。"君子务本,本立而道生。孝弟也者,其为仁之本与!"(《论语·学而》)孝悌就是仁的根本,亦是仁的第一义。"君子笃于亲,则民兴于仁。"(《论语·泰伯》)仁就是爱亲,就是孝弟,所以孝、悌、慈、爱等家族亲情之爱的观念就是最初的仁,也是人类最原始的人道精神。

孔子的贡献首先在于把"仁"的含义从爱亲推至爱人,从而爱己爱人,成己成人,立己立人,达己达人,人己兼顾。孔子将仁爱的对象超出家庭亲人,延伸到社会众人,实现以人道的爱规整人与人之间的关系。《论语·颜渊》:"樊迟问仁。子曰:'爱人。'"仁爱由爱亲到爱人,由亲到疏,由近到远,既表明了爱有差等,又标明了普遍地博爱众人的"泛爱众"。孔子说:"弟子入则孝,出则弟,谨而信,泛爱众,而亲仁。"(《论语·学而》)由己及人,从而"一家仁,一国兴仁",实现家族与社会的团结和稳定,同时也彰显了道德人格的社会责任和民族使命。孔子的"仁"突破了家族伦理,到达了社会道德,实现了"仁"的本质升华。这里需要阐明孔子所说的"爱人"之"人",是泛指除己以外的他者,从贵族到平民,乃至奴隶,从华夏到夷狄,均包涵在内。当樊迟请教"仁"时,孔子说:"居处恭,执事敬,与人忠。虽之夷狄,不可弃也。"他主张恭、敬、忠等仁德推行于夷狄。当马棚着火时,孔子只关心人是否受伤,不管他是善恶夏夷,便是爱己爱人的"仁道"精神的体现。

孔子的"仁",从爱亲到爱人,由亲至疏,紧紧抓住了亘古不变的人性心理与道德感情,是对人与社会的深刻省视,是人道精神的高度自觉。"仁"是对"人"的发现和重新认识,也是一种持续安乐的心理状态,所以孔子说:

> 富与贵是人之所欲也,不以其道得之,不处也;贫与贱是人之所恶也,不以其道得之,不去也。君子去仁,恶乎成名?君子无终食之间违仁,造次必于是,颠沛必于是。(《论语·里仁》)

不管富贵还是贫贱,顺境还是逆境,哪怕是顷刻之间,都按照"仁"的理念办事,都能"仁者安仁"(《论语·学而》)。孔子所以盛赞颜回之乐:"贤哉,回也!一箪食,一瓢饮,在陋巷。人不堪其忧,回也不改其乐。"(《论语·雍也》)正是由于孔子创立以"仁"字为代表的学说体系,具有极大的适应性和理想性,儒家才能够在社会结构变迁和矛盾激荡的春秋时代,被社会各阶层广泛接受,成为百家争鸣的思想大潮主流。

孔子的"仁"之所以能够从爱亲推至爱人,关键在于以"仁"认识人,明了人内在心性情感的"仁心",恪守人际交往的"仁道"。首先,"仁心"意味着人是真情至诚、意志自由的人。孔子强调人相处要直心由衷,以真情示人,不必掩饰自己取悦于人,埋藏自己的不满,而对人友好,否则是弄虚作假,取媚于人,不是真诚直道,就失去了"仁"所必有的心理基础。孔子开创性地触及到了自由的前提，即是拥有独立人格的"仁心"。因而孔子说：

> 巧言令色，鲜矣仁！（《论语·学而》）
> 刚、毅、木、讷，近仁。（《论语·子路》）

刚者单纯寡欲，毅者坚强果敢，木者简单质朴，讷者迟钝缓慢，都能直心由衷，不失真情，所以说更接近仁。

> 宪问："克、伐、怨、欲不行焉，可以为仁矣？"子曰："可以为难矣，仁则吾不知也。"（《论语·宪问》）

原宪问：一个从不好胜、好功、好怨和绝欲的人，就是仁者吗？孔子认为做到这些很难，失去真情的还是人吗？何谈是仁？因此，孔子并不提倡学习苦心洁身禁欲的修行，那样违背了常人的心性。仁者以真情相见，是一个真情自然的人，不会扭曲自己的心性，必有自己的喜好与厌恶，"唯仁者能好人，能恶人"。一个敢于表露真情喜好的人，可能会因偏激过火而犯错误，但也可以从他的犯错中知道他是什么样的人。从前有个人抓了一个偷羊奶的贼，后来得知那个贼是为了喂养他年迈虚弱的父亲，因此，孔子说："人之过也，各于其党。观过，斯知仁矣。"（《论语·学而》）孔子又说："仁远乎哉？我欲仁，斯仁至矣。"（《论语·述而》）"仁"就是我的好恶，我欲为仁的喜好就是"仁"，何远之有？一个自私自利的人不敢以真面目示人，才会掩盖自己的私心，失去自由人格，与世同流合污，压抑自己真实的好恶，正所谓"麻木不仁"。

其次，孔子的"仁道"意味着人能以真情相感通，推己及人，互惠互利。孔子说：

夫仁者,己欲立而立人,己欲达而达人。(《论语·雍也》)

人心都有好恶与欲念,而且人我之心的好恶与欲念相去不远。我的好恶不损害他人的好恶,就是我好恶的界限。由此孔子开创性地触及到了自由的界限,那就是恪守"仁道"。自私自利之徒只顾自己的好恶欲念,全然不知或不顾他人的好恶欲念,当有求于人时,不敢以自身好恶欲念的真面目示人,必定对人虚伪狡诈,谄媚做作。可是他人受害被骗,自己也压抑真情,人我的好恶欲念都受到损失,所以是不仁。而仁者在处理小我与大我关系时,会考虑群体的利益,有舍己为群的义务,不会贪恋小我生命而损害大群,所谓"志士仁人,无求生以害仁,有杀身以成仁"(《论语·卫灵公》)。但孔子并不是说要成仁者,就必须牺牲自己,死亡了就成为仁者了,而是只在群己无法调解之时,做出利于族群的一种选择而已。仁者能推己之好恶而知人之好恶,不必违背自己的好恶,尽力以求满足他人的好恶。仁者以不违背他人的好恶,来满足自己的好恶,从而人我双双受益,人己的喜好欲念都得到满足。因此,"仁道"也就是爱己爱人的相处之道,正所谓"仁者乐仁"。

孔子从繁文缛节的"礼"中诠释、发掘出含情脉脉的"仁",关键在于"仁"所内涵的心性情感。以"三年之丧"为例。"三年之丧"本是殷商制定的礼,也是一直传承至春秋的通行礼制。"三年之丧"作为大家都必须要遵守的"天下之通丧",宰我觉得时间太长,守孝一年就够了。孔子解释说幼儿至少要呆在父母怀抱三年,接受爱护抚育,才能离开活动,所以子女守孝三年的礼节是应当遵守的。孔子正是用亲子之爱的心理诉求和生活情理来解释血缘孝道。原本社会通行的"三年之丧"这种外在的规范,找到了人性化的心理依据,从而变成为人心的内在自觉要求。社会的礼制,经孔子的阐释,都看作个体的心性使然。既然外在的形式都依据于人内在的人性,那么作为人性心理的"仁"自然就高于作为外在行动的"礼","礼"必然从属于"仁"。因此,孔子说:

> 人而不仁,如礼何?人而不仁,如乐何?(《论语·八佾》)
>
> 礼云礼云,玉帛云乎哉?乐云乐云,钟鼓云乎哉?(《论语·阳货》)

就"仁"来说,"礼"和"乐"难道仅仅是华丽的玉帛、悦耳的钟鼓吗?在孔子看来,它们不过是"仁"的形式而已。

孔子为了复礼,用心理原则的"仁"来诠释"礼",揭示社会外在规范的个体内在自觉,对心理情感和道德伦理的关注,超越了政治制度,并主导所有社会生活。他虽然无法挽回氏族社会的瓦解,也无法阻止贵族统治的衰败,更没能实现自己的政治理想,但成功地为新出现的平民化社会树立了一套心理文化模式,渗透在中国人的情感状态、理念信仰、思维方式、行为习俗之中,逐渐凝成为中华民族性格特征。孔子仁学的实践理性和人道精神,历经数千年的社会时代变迁,充分证明了自身的独立性、延续性和合理性。

二、仁的内容:全德之名

冯友兰在《中国哲学史》中说:"《论语》中亦常以仁为人之全德之代名词,……惟仁亦为全德之名,故孔子常以之统摄诸德。"蔡元培在其《中国伦理学史》"孔子"一节中亦称:"仁即统摄诸德,完成人格之名。"

如前所述，孔子的"仁"最初源于亲子之情的爱亲美德，恰如《中庸》所评介："子曰仁者，人也，亲亲为大。"不过我们所见的"仁"字几乎能和所有有关美德的字搭配成词，如"仁人"、"仁心"、"仁道"、"仁德"、"仁爱"、"仁慈"、"仁孝"、"仁义"等等，原因在于经孔子诠释的"仁"，拓展成为全德之名，统涵诸德，但又自为一德。

仁的本义就直接包含了慈、孝、悌等家庭伦理。从仁字的起源，我们可以看出"仁"的第一义就是同血缘氏族的社会生活相关。在古代宗法氏族社会，血缘关系是"礼"的基础，被总括为慈、孝、悌，也就是"仁"最原初的人性心理要求。宰我觉得服丧三年的礼仪太久了，孔子厉斥宰我"不仁"，而不是骂他"不孝"，认为世上的仁人必定都自然而然孝敬，没有抛弃父母的。可见慈、孝、悌是内含于仁的。

仁也包含了礼、忠、恕、智、勇等道德条目。孔子无比崇尚周公制礼而治，在礼崩乐坏的春秋，他由礼而仁，从学术思想上求取礼的内在精义——仁，以期实现天下太平的理想追求。因此，仁必定包涵礼，仁是"礼之本"，"人而不仁如礼何！人而不仁如乐何！"（《论语·八佾》）仁是礼的心理基础，具备仁的内心道德意识，才能遵守礼。孔子还告诉他的弟子：

"吾道一以贯之。"曾子曰："唯。"子出。门人问曰："何谓也?"曾子曰："夫子之道，忠恕而已矣。"（《论语·里仁》）

孔子称赞像殷商的微子、箕子、比干三位反对暴政的忠臣，必定是仁者。他又说：

知者不惑，仁者不忧，勇者不惧。（《论语·子罕》）

知是认知,仁是情感,勇是意志。在孔子看来,智者能明道达义,不为形色事物迷惑;勇者见义勇为,凛然直前,无所畏惧;仁者悲天悯人,先天下之忧而忧,但于己内心宽广,没有私人愁虑。知、情、意三者,应当是以情感主导认知、意志,以仁爱统帅智慧、勇敢。"未知焉得仁?"(《论语·公冶长》)连是非都分辨不清的人如何有仁心呢?

> 仁者,必有勇。勇者,不必有仁。(《论语·宪问》)

仁者发之于真情,必然遇事勇为敢当;勇者或许出于逞强血气,未必出于内心真情,未必就是仁者。因此,情感是人整个心理活动的枢纽,智、勇也从属于"仁",内涵于"仁"。

仁还包含了恭、宽、信、敏、惠等执掌天下的为政美德。

> 子张问仁于孔子。孔子曰:"能行五者于天下,为仁矣。"请问之。曰:"恭、宽、信、敏、惠。恭则不侮,宽则得众,信则人任焉,敏则有功,惠则足以使人。"(《论语·阳货》)

为政能遵照五种美德,就是仁爱的政治。能恭敬,则不会受到侮慢;能宽厚,则容易赢得众心;能守信,则可获得他人信任;能敏锐,则更易取得成功;能施舍,则更方便役使他人。孔子跟子张探讨的政治美德,是一般道德原则上的执政方式,孔子的政治思想在根本上是道德政治。后来孟子就完全发挥了孔子道德政治的具体内容,有了"仁政"学说。不过在儒家的理念中,不论是个体为人处世,还是国家行政统治,都遵循同样的道德原则,恭、宽、信、敏、惠的美德同时可以针对个人和国家,都蕴含在最高的道德理念——"仁"之中。

正因为仁发源于人最原始最基本的心性,兼涵诸德,因而是为人最根本的理念,是生活中最高的处世之道。躬行最高的仁道,仁心自然获得最高的仁德。但仁极为崇高而又平实简易,不管是贵族,还是平民,都可以身体力行。

三、"为仁之方":忠恕与复礼

孔子说:"性相近也,习相远也。"(《论语·阳货》)又强调:

> 德之不修,学之不讲,闻义不能徙,不善不能改,是吾忧也。(《论语·述而》)

表明他既注重人先天的善良心性,又看重后天的道德修养,对人性持先验情感与实践理性相综合的态度。"仁"是源于人的内在心性,但也必然表现于人的外在行为。一方面,孔子信赖仁是心性中无尽善意的流露,他说:"仁远乎哉?我欲仁,斯仁至矣。"(《论语·述而》)所谓求仁得仁。另一方面,孔子提出"好仁不好学,其蔽也愚"(《论语·阳货》),修养与学习是必要的。作为平民学的创始者,他有一套平民之仁的教育与养成之方,即"为仁之方"。"为仁之方"从内至外,就是忠恕与复礼。一个人的内心如果懂得忠恕,就有仁心;一个人的言行如果克己复礼,就终究能理解仁爱。

首先,忠恕之道是孔子提倡获得仁爱心地的内在方法。曾子说:"夫子之道,忠恕而已矣。"(《论语·里仁》)忠恕就是严于律己,宽以待人,体现了尊重、平等的人道精神。"忠"是就自己来说的,是真诚面对自己的良心,要求自己端正态度,尽职尽责、尽心尽力和践诺守信,从而问心无愧。孔子说:"所谓大臣者,以道事君,不可则止。"(《论语·先进》)儒家说的"忠君",正是所谓"以道事君",不是"盲目服从",如果无法实现就引退。"恕"是指向他人的,主体应把对方看成同类,强调了人己关系的相互性,要求人们以己之心去度他人之心,对他人有同情心、宽恕和关爱,做到"己所不欲,勿施于人"。孔子认为,是忠恕架起了人与人之间和谐相处的内心桥梁。

> 仲弓问仁。子曰:出门如见大宾,使民如承大祭。己所不欲,勿施于人。在邦无怨,在家无怨。仲弓曰:雍虽不敏,请事斯语矣。(《论语·颜渊》)

正是仁者的忠恕之心能贯通人我的喜好欲念等内心情感,人同此心,心同此理,将心比心,推己及人,"己所不欲,勿施于人",所以时刻恭敬,如见贵宾,如办祭祀,既不会恣意妄为,也不会怨天尤人,从而于人于己真实自在。因此,为仁首要的不是对外用力,而在对内用心,孔子说:

> 有能一日用其力于仁矣乎? 我未见力不足者。盖有之矣,我未之见也。(《论语·里仁》)

对外为仁之力没有不足的,只有无心用力的。因此,修得一颗忠恕之心,才是"为仁之方"的内功。

其次,克己复礼是孔子提倡行仁施爱的社会交往方式。懂得用礼节制自己不当的欲望和言行,也可以由外而内地化为仁的德性。可见行为规范的礼与爱人心理的仁是互为表里,融为一体的。《论语·颜渊》记载:

> 颜渊问仁。子曰:克己复礼为仁。一日克己复礼,

天下归仁焉。为仁由己，而由人乎哉？颜渊曰：请问其
目。子曰：非礼勿视，非礼勿听，非礼勿言，非礼勿动。

去除一己私心，恢复到"礼"所应当的喜好欲念，不窥人秘密，不听人私语，不议人长短，不侵人财物，恪守不损人利己的礼节，人才能获得自由。在孔子看来，"礼"是遵循人真实而合理的心性情感制定的规范，以避免陷入不必要的纷争、动乱、贫困，使人人都满足能够达到的欲求。当然孔子也说过，他如果从政治国，所恢复的礼治不全然等同西周之礼，而是顺应时代的新礼。

由于孔子的"仁"是个体人格的内在心性流露，因而"为仁之方"不在于外界，不在于他人，而在自身的用心，突出了道德人格的主动性和独立性。孔子说："为仁由己，而由人乎哉？"（《论语·颜渊》）"当仁不让于师"（《论语·卫灵公》）"仁远乎哉？我欲仁，斯仁至矣。"（《论语·述而》）人完全可以立志积极修身，主动承担社会责任，成为仁人。孔子就是以身作则，用一生践履了时代赋予他的使命。孟子引用子贡的话说："学不厌，智也；教不倦，仁也。仁且智，夫子既圣矣！"（《孟子·公孙丑下》）荀子则说："孔子仁智且不蔽……故德与周公齐，名与三王并。"（《荀子·解蔽》）因此，孔子被尊称为"至圣先师"。

四、仁的意义：人道精神

孔子所在的时代，诸侯征战兼并，一些氏族贵族抛弃陈规，力行革新，废除公有井田，实行私田租种，发展商业经济，他们迅速富裕，实力壮大，而原有稳定生活的农民被迫离开世代耕种公田的公社，"民散久矣"（《论语·子张》）。同时一些诸侯国被兼并灭亡，氏族贵族衰落。贵族越来越少，平民

越来越多。钱穆先生曾经指出,春秋战国时代,中国开始从氏族社会的贵族政治,向平民社会的士人政治过渡,直到秦汉时期,社会结构的变迁才逐渐完成。在氏族社会,上层社会的结构是氏族大夫——部落诸侯——联盟天子;在平民社会,整个社会的结构是个体士人——家族乡邻——一统国家——世界天下。这种社会的变迁意味着新生的地主经济走向兴盛,原有的礼仪体制逐渐瓦解。孔子欲复周礼,也就只能是知其不可为而为之。但孔子并没有停留在因循周礼,而是创造性地从"礼"中阐发了学理性的"仁",将远古以来的人道精神和实践理性延续下来。孔子的仁学思想系统,适应了新的社会模式,经过后代儒家的弘扬,终究成为中华文化和传统道德的魂魄。

孔子的"仁"是在"天下无道"的社会背景下,孔子从中国传统氏族社会中抢救出的合理内核,体现出人道精神和实践理性。如果说在孔子之前,天下大道在于"礼",那么当旧礼溃散之时,孔子用"仁"释"礼",强调人与人相处的同情心为"仁心",人与人相处的公行大道为"仁道",凡是具"仁心"而行"仁道"的无疑就是"仁人",就是君子。因此,"仁"无疑就成为"道"的新范畴。孔子在《论语》中讲"仁",没有玄奥的理论,没有神秘的教义,更没有诉诸于超凡的神灵和不朽的灵魂,完全是着眼于人具体的现实生活,综合人性的心理情感与生活的实践理性,抱着积极入世的现实人生态度,因而有"子不语怪力乱神"(《论语·述而》),"未能事人,焉能事鬼","未知生,焉知死"(《论语·八佾》)等名言。孔子的"仁",既避免了宗教的禁欲主义,又抵制了消极出世的悲观主义,完全建立在现实人世间的个体人性和社会交往之中,建立在实际的理性生活之中。孔子的"仁"远离非理性的宗教狂热,服从理性的清醒,重实用、轻思辨,重人事、轻鬼神,其人道精神和实践理性成为中华优秀传统文化的主旋律。

孔子的仁学思想铸就了中国数千年重礼仪、尚和平、以德服人的王道气魄和文化基因。孔子一生宣扬仁的理念和境界,其学说以仁为出发点和归宿,以仁为中心。正如孔子自己所评介,他毕生"志于道,据于德,依于仁,游于艺"(《论语·述而》)。孔子虽然历经困厄,但一生的精神追求从未放弃。对于个人来说,"仁"使人既能够安贫乐道,又可以做到富贵不能淫。相反,"不仁者,不可以久处约,不可以长处乐。仁者安仁"(《论语·里仁》)。孔子的"仁"始于修身,终于治国平天下,从道德贯通到政治,仁人就是最完美的人,仁治即是最美好的政治。孔子的"仁"不同于重群体轻小我的集合主义,也不同于伸小我抑国家的个人主义,而是贯通人我。孔子的"仁"就是要"兴灭国,继绝世,举逸民"(《论语·尧曰》),以期实现"老者安之,朋友信之,少者怀之"(《论语·公冶长》),即追求个人幸福,家庭和睦,社会和谐,天下太平。孔子说只有"仁"才能做到"近者悦,远者来"(《论语·子路》),"修文德以来之"(《论语·季氏》),"四方之民襁负其子而至矣"(《论语·子路》)等对外影响力。这正是孔学儒教主宰的中国数千年来总能同化异族和异族统治、实现中华文化"可大可久"、福泽世界的缘故。

孔子的仁学理论张扬了中华传统道德的人道主义精神。"仁"是人之为人的道理,从个人到国家,从经济生活到政治生活,再到精神生活,人道精神一以贯之。在这方面,孔子的仁学思想不仅得到了古代进步思想家的肯定,也得到了近代先进思想家的赞扬。康有为、谭嗣同、孙中山皆认为孔子仁学是人道主义思想。梁启超说:"儒家言道言政,皆植本于仁"(《先秦政治思想史》)。胡适说:"做一个人需要尽人道,尽人道即是仁。"(《中国哲学史大纲》)郭沫若坚定地认为孔子仁学是"主张人道主义的",具有"相当高度的人道主义","他的仁道实在是为大众的"(《十批判书·孔墨批判》)。基于这些分析和论断,我们有理由认为:孔子对于"人的发现"、"人的反思",以及他的仁学体系,均体现了古代人道主义精神;他的"立人"、"达人"、"仁者人也"、"仁者爱人"的光辉思想,乃是东方人道主义的第一个自觉命题。中国远古时代那些古朴的平等观念和原始的民主思想,经过孔子的提振升华,终于成为一种自觉的道德理念。

仁学发展:从孟子到宋明诸儒

仁学是孔子所创儒学的核心和标志,是孔子对人类理性觉醒的不朽贡献。但孔子只是奠定了儒家仁学的基础,其仁学还是个开放的体系,留有大量的理论课题有待进一步的解答。孟子追慕孔子的脚步,用心性论证明仁的必然性;董仲舒用天道观说明仁的渊源;程朱则以体用、生意、天理等观念,全面揭示了仁与爱、心、性、天、道、理等范畴之间的关系。由此,有关仁的心性之学、政治哲学、道德伦理学,有关仁的情感体验、价值判断、终极信仰,共同构成了儒家的仁学体系。

一、孟子的诠释:以心性论仁

在孔子开创仁学之后,孟子也大量地讨论了“仁”的理念,在《孟子》中“仁”字竟有 154 处。他继承了孔子关于“仁”的“爱亲”本义和“爱人”引申义。“亲亲,仁也”(《孟子·尽心上》),“仁之实,事亲是也”(《孟子·离娄上》),“爱亲”“事亲”就是“仁”原始的本质和本义。“事亲,事之本也”,“事孰为大,事亲为大”(《孟子·离娄上》),所以爱亲之仁是为人处世的最高原则。

孟子也将仁从爱亲拓展为爱人。他给仁做了最广义的定义:“仁者,爱人”(《孟子·离娄下》)“仁也者,人也。合而言之,道也。”(《孟子·尽心下》)仁是爱他人,是人之所以为人之道,人必为仁才能成为人。仁就是做人的道德。跟孔子一样,孟子认为人皆有所爱,扩充其爱,达到“爱人”的境界,

就是仁爱。由"爱亲"过渡到"爱人",关键在于推己及人。因而孟子说:

> 仁者以其所爱,及其所不爱。不仁者以其所不爱,及其所爱。(《孟子·尽心下》)

> 老吾老,以及人之老;幼吾幼,以及人之幼。天下可运于掌。……言举斯心加诸彼而已。故推恩足以保四海,不推恩无以保妻子。古之人所以大过人者无他焉,善推其所为而已矣。(《孟子·梁惠王上》)

因此,仁在整个人伦道德体系中,是最基本的道德原则。孟子和孔子关于"仁"的含义是基本等同的。孟子在继承孔子的仁爱思想基础上,提出了性善说和良知说,对"仁"的心性发端、政治治理、修养方法等方面,做了独特的探讨。

1. 仁之端:恻隐之心

孔子没有对人性论展开论述,孟子继承孔子的宗旨,全面地对人性进行阐释,为儒家在百家争鸣中取得胜利立下了汗马功劳。他的人性论明确人性是人与动物的本质区别,是人所特有的仁、义、礼、智四种基本道德的心理基础,是道德的先天本源。人之所以会有凶恶暴戾,原因不在于人性,而是由于环境浸染和主观不努力,在后天丢失了原本善的"良心",但通过修养功夫,仍然可以找回人所固有的本心。事实上,孟子的人性论是其仁政学说、道德修养论以及义利观的根据。

孟子首先探讨了仁的发端,提出了性善论观点,从而为他的王道政治理念奠定心性论基础。他说:

> 人皆有不忍人之心者,今人乍见孺子将入于井,皆

有怵惕恻隐之心。非所以内交于孺子之父母也，非所以要誉于乡党朋友也，非恶其声而然也。由是观之，无恻隐之心，非人也；无羞恶之心，非人也；无辞让之心，非人也；无是非之心，非人也。恻隐之心，仁之端也；羞恶之心，义之端也；辞让之心，礼之端也；是非之心，智之端也。人之有是四端也，犹其有四体也。有是四端而自谓不能者，自贼者也；谓其君不能者，贼其君者也。凡有四端于我者，知皆扩而充之矣，若火之始然，泉之始达。苟能充之，足以保四海；苟不充之，不足以事父母。（《孟子·公孙丑上》）

"不忍人之心"，或说"恻隐之心"，就是指人对人的同情心、怜悯心。人们总是不忍看见他人受苦受难，有生命的危险。"羞恶之心"包括了羞耻心和厌恶心，当人犯了错误，做了恶事，内心总是有愧疚感，对别人的丑恶行为也会反感。"辞让之心"，也叫恭敬之心，是对亲人和长辈的尊重。"是非之心"是对道德上的是非善恶进行辨别的心智能力。为了证明人有恻隐之心、羞恶之心、辞让之心、是非之心，孟子以事实例证做说明。他说，儿童跟我们是同类，便有同类的情绪感通。看见儿童即将掉进深井，都会本能地产生不忍之心，并积极施救，与儿童父母的交情无关，与博取邻里的荣耀无关，与厌恶儿童惊恐的哭声无关，而是发自人性内心的同情心使然。如果没有这种同情心，他就不是人的同类。在现实生活中，人们面对这种情况，不排除有见死不救和幸灾乐祸的人，但绝大多数人都会本能地产生惊怵之情和恻隐之心，可见孟子的论断是具有普遍性的。所以孟子认为同情心是人原始的心性之一，也是仁心的萌芽或开端。因此，扩充人心固有的同情心，就能达到仁。

　　人天生具有的"本心""四端"，正是孟子认为的人性之善。拥有广大土地和众多民众，是君子所想要的，但不是他的快乐所在；安定天下是君子的赏心乐事，但却不是他的本性所在。只有仁、义、礼、智才是君子的本性所在。

　　　　广土众民，君子欲之，所乐不存焉。中天下而立，定四海之民，君子乐之，所性不存焉。君子所性，虽大行不加焉，虽穷居不损焉，分定故也。君子所性，仁义礼智根于心。（《孟子·尽心上》）

这里需要说明孟子所界定的"人性"是人之所以为人的本性，而不是人的一切本性，或者说，孟子把人的本性分为兽性和人性两部分。如此，人性就是人不同于其他动物的特有的东西，特点是善性。孟子说："人之所以异于禽兽者几希，庶民去之，君子存之。"（《孟子·离娄下》）事实上，孟子讲的人性就是指人的社会性、道德本性，也就是"仁心"、"不忍人之心"等"四端""本心"。因此，他把这种人性最终归于人道，即："仁也者，人也。合而言之，道也。"（《孟子·尽心下》）

　　在此基础上，孟子同告子就人性善与恶展开了辩论。告子所指的人性是生命的一切性质，"生之谓性"，"食色，性也"，可见告子所说的人性是包括了人的动物性、生物本能在内的一切性质。因此，告子提出"性可以为善，可以为不善"，或者说"有性善，有性不善"（《孟子·告子上》）。告子认为人性究竟善还是不善，不是先天确定的，而是取决于后天的引导。孟子和告子都分别用水来打比喻：

　　　　告子曰：性犹湍水也，决诸东方则东流，决诸西方则西流。人性之无分于善不善也，犹水之无分于东西也。

> 孟子曰：水信无分于东西。无分于上下乎？人性之善也，犹水之就下也。人无有不善，水无有不下。今夫水，搏而跃之，可使过颡；激而行之，可使在山。是岂水之性哉？其势则然也。人之可使为不善，其性亦犹是也。（《孟子·告子上》）

告子的水无分东西，如同人性无分善恶，可以为善，也可以为恶。孟子则强调人性从善如流，始终向下。他们争议的关键在于如何界定"人性"概念。孟子显然不同意告子将一切生物本性或生理本能视为人性。

> 告子曰："生之谓性。"孟子曰："生之谓性也，犹白之谓白与？"曰："然。""白羽之白也，犹白雪之白；白雪之白，犹白玉之白与？"曰："然。""然则犬之性，犹牛之性；牛之性，犹人之性与？"（《孟子·告子上》）

孟子反驳告子"生之谓性"的说法，白羽毛和白雪的白是一样的，狗的性质与牛的性质也一样，但人的性质难道也完全如同牛的性质吗？可见，将人的本性界定为一切生物的生理性质，抹杀了人的本性同牛、狗等动物本性的差别，人还有社会性和道德精神特质。孟子认为人性就是相对于动物而言，人不同于其他动物而特有的性质。

孟子延续孔子对"人的发现"，深刻反思人类自我，认为"仁"就是"人之异于禽兽"的社会规定性。他提出人与禽兽同样都有"耳目之官"，这是"小体"；人之所以不同于禽兽，在于上天还赋予人"能思之心"，这是"大体"；只停留于"耳目之官"小体的人，就是小人，跟禽兽一般；听从"能思之心"大体的人，喜好理义，所以称为君子。

无恻隐之心，非人也；无羞恶之心，非人也；无辞让之心，非人也；无是非之心，非人也。（《孟子·公孙丑上》）

公都子问曰：钧是人也，或为大人，或为小人，何也？孟子曰：从其大体为大人，从其小体为小人。曰：钧是人也，或从其大体，或从其小体，何也？曰：耳目之官不思，而蔽于物，物交物，则引之而已矣。心之官则思，思则得之，不思则不得也。此天之所与我者，先立乎其大者，则其小者弗能夺也。此为大人而已矣。（《孟子·告子上》）

"能思之心"是人区别于动物的官能，所以才有恻隐之心、羞恶之心、辞让之心、是非之心。这正是人性"四端"，内在于人心之中。因此"仁义礼智，非由外铄我也，我固有之也，弗思耳矣"（《孟子·告子上》）。仁、义、礼、智"四德"就是人类生活的道德规定性，也是人的社会性。

孟子对仁爱做了比孔子更为精细的分析。仁包含"爱亲"与"爱人"，甚至爱物，但君子之爱是有差等的，有亲疏、远近、急缓之分：对物只是爱而已；对人则不仅爱之，更行忠恕；对父母又不仅是忠恕，更有孝道。

君子之于物也，爱之而弗仁；于民也，仁之而弗亲。亲亲而仁民，仁民而爱物。（《孟子·尽心上》）

知者无不知也，当务之为急。仁者无不爱也，急亲贤之为务。尧、舜之知而不遍物，急先务也。尧、舜之仁不遍爱人，急亲贤也。（《孟子·尽心上》）

以爱言仁，仁是无所不爱，但实际生活中，不可能博爱一切人，必定是以亲者贤者为先为急。孟子的仁爱观念，比墨家无差等的泛爱要高明，更能赢得民众的信赖，最终儒家在同墨家的争鸣中取得了胜利。

2. 仁之政：民贵君轻

孟子认为，按照其"四端"与"四德"理念，符合"仁"的政治，才是能够一统天下而王的政治。在孟子所处的战国时代，如何结束漫长的诸侯割据，武力征伐，社会动荡，是当时思想家们关注的焦点。以韩非子为代表的法家，主张以现实的利益为主导，提倡以法治国，实行严法酷刑，用强大武力实现天下统一。孟子对这种流行的观点和做法，斥之为"霸道"："以力假仁者霸，……以德行仁者王。……以力服人者，非心服也，力不赡也；以德服人者，中心悦而诚服也，如七十子之服孔子也。"（《孟子·公孙丑上》）他认为"王道"的政治应该是"仁政"，以理想的仁道为主导，提倡以德治国。孟子说：

> 三代之得天下也以仁，其失天下也以不仁。国之所以废兴存亡者亦然。天子不仁，不保四海；诸侯不仁，不保社稷；卿大夫不仁，不保宗庙；士庶人不仁，不保四体。……桀纣之失天下也，失其民也；失其民者，失其心也。得天下有道：得其民，斯得天下矣；得其民有道：得其心，斯得民矣；得其心有道：所欲与之聚之，所恶勿施尔也。（《孟子·离娄上》）

孟子认为以仁政得天下，以不仁失天下，是古往今来国家废兴存亡的定律。从天子到诸侯公卿贵族，再到普通的士庶百姓，行不仁必定带来灾祸。王道的"仁政"，之所以能"治天下可运之掌上"，相反"不以仁政，不能平治天下"（《孟子·离娄上》),关键在于民心聚散。孟子的"仁政",正是从"仁"的道德理念出发,讨论如何解决政治问题。

孟子的"仁政"学说,确认了由"仁"到"仁政"的必然性和必要性。由于每个人内心都有恻隐之心,也即"不忍人之心",当君主不忍见他人之困苦时,必然就有"仁政"的施行。

> 人皆有不忍人之心。先王有不忍人之心,斯有不忍人之政矣。以不忍人之心,行不忍人之政,治天下可运之掌上。(《孟子·公孙丑上》)

"不忍人之心"就是同情心,也是"仁"的善端。用"仁"的道德理念治理国家,就能使得社会安宁。"尧舜之道,不以仁政,不能平治天下。"(《孟子·离娄上》)尧舜的王政就是仁政,从而天下得以大治。相反,不行"仁政",行暴政,违背"仁道",就会失去天下。所以孟子说:"三代之得天下也以仁,其失天下也以不仁。国之所以废兴存亡者亦然。"(《孟子·离娄上》)

孟子的"仁政"学说,指明了"仁政"的精神条件,也是首要条件,即执政者必须存有"不忍人之心",然后以此心推己及人。恰如孟子所说:"老吾老,以及人之老;幼吾幼,以及人之幼。"(《孟子·梁惠王上》)这种推己及人的思想正是孟子沿袭了孔子"为仁之方"的"忠恕"理念,不同的是孔子重在于个人修养方面,而孟子推广到了政治和社会领域。

孟子的"仁政"学说,标明了民贵君轻的人民主权原则。在孟子看来,只有得到民众的普遍认同,才能成为天子;得到天子的认可才能为诸侯;获得诸侯的赏识才尊为士大夫。诸侯危害社会民众,那么诸侯就该更换了。

> 民为贵，社稷次之，君为轻。是故得乎丘民而为天子，得乎天子为诸侯，得乎诸侯为大夫。诸侯危社稷，则变置。（《孟子·尽心下》）

不论天子如何更换，朝代如何更迭，民众永远是国家社稷的基础，无法被取代或"变置"，有民才有国，有国才有君，所以"民为贵"，排在前面，"君为轻"排在后面。孟子还提出诛杀违背仁义的君主不叫弑君，譬如成汤伐桀，武王伐纣，不是犯上作乱的"弑君"，而是维护天下正义的"征诛"。"贼仁者谓之贼，贼义者谓之残，残贼之人谓之一夫。闻诛一夫纣矣，未闻弑君也。"（《孟子·梁惠王下》）。上天只是选了一个人做"天子"的职位，如果天子是有道之君，民众就拥护他；如果天子是无道之君，民众就推翻他。为此，孟子大力倡扬禅让制度，认为天子的职位通过这种道德的、和平的方式，让给天下最贤能的人，这是公天下。而天子的职位传给自己的儿子或兄弟，则是私天下。"民贵君轻"，仁爱民众，重视民众在国家中的地位和作用，这是孟子对中国上古社会就一直流传的民本思想的发挥。

孟子的"仁政"学说，阐明了"仁政"的具体内容。

首先是为民置产。孟子认为"仁政"必须要有经济物质条件，给百姓"五亩之宅"，"百亩之田"，充分解决民生问题。他说：

> 无恒产而有恒心者，惟士为能。若民，则无恒产，因无恒心。苟无恒心，放辟邪侈，无不为已。及陷于罪，然后从而刑之，是罔民也。焉有仁人在位，罔民而可为也？是故明君制民之产，必使仰足以事父母，俯足以畜妻子，乐岁终身饱，凶年免于死亡。然后驱而之善，故民之从

之也轻。(《孟子·梁惠王上》)

老百姓有了"恒产",便有"恒心",就不会"放辟邪侈",才有良好的社会秩序。置恒产需要遵照均衡的原则,孟子说:"子之君将行仁政,选择而使子,子必勉之! 夫仁政,必自经界始。经界不正,井地不钧,谷禄不平。是故暴君污吏必慢其经界。经界既正,分田制禄可坐而定也。"(《孟子·滕文公上》)但孟子提倡的置恒产还要求落实旧传统的井田制。"方里而井,井九百亩,其中为公田,八家皆私百亩,同养公田。"(《孟子·滕文公上》)这在当时已经是落伍了。孟子看到了物质经济对民心稳定和社会发展的基础性作用,这是非常了不起的。

其次是薄赋省刑。征发徭役不能误农时,年成不好要减轻赋敛,抽税要控制在一定限额内。"不违农时,谷不可胜食也;数罟不入洿池,鱼鳖不可胜食也;斧斤以时入山林,材木不可胜用也。谷与鱼鳖不可胜食,材木不可胜用,是使民养生丧死无憾也。养生丧死无憾,王道之始也。"(《孟子·梁惠王上》)减轻赋税和兵役劳役,取于民有制,使民有时,救济贫困,照顾鳏寡孤独等,孟子称这叫养民,实际上就是让民众休养生息。

再次是兴办学校,用道德教化社会。孟子主张发展文化,加强道德教育,驱民向善,达到统治者明了人伦、下民亲亲相爱的目的。"设为庠序学校以教之:庠者,养也;校者,教也;序者,射也。夏曰校,殷曰序,周曰庠,学则三代共之,皆所以明人伦也。"(《孟子·滕文公上》)从而"父子有亲,君臣有义,夫妇有别,长幼有序,朋友有信"(《孟子·滕文公上》),社会风气必定很好。若不如此,"及陷于罪,然后从而刑之,是罔民也"(《孟子·梁惠王上》)。

最后就是尊贤重能。实行"仁政"必须要有政治条件,应当用贤能之人。学习远古天下为公、民主选举的政治理念,使"贤者在其位","能者在其职",以专家的身份实际掌握政权,治理国家。只有任贤使能,实行"仁政",才能团结人民抵御外侮,统一天下。

3. 仁之养:尽心知性

孟子认为人的本性是善的,只要穷尽自己的本心,就能发现自己善良的本性,然后不断地积累和扩充自己的善性,从而每个人都可以成为像尧舜那样的圣贤之人。孟子说:"尽其心者,知其性也。知其性,则知天矣。存其心,养其性,所以事天也。夭寿不贰,修身以俟之,所以立命也。"(《孟子·尽心上》)孟子提出的这套道德修养的方法叫做"尽心知性"。

孟子首先肯定了"仁"是出于人天生固有的本心,每个人都可以求仁得仁:

> 求则得之,舍则失之,是求有益于得也,求在我者也。求之有道,得之有命,是求无益于得也,求在外者也。(《孟子·尽心上》)

> 乃若其情,则可以为善矣,乃所谓善也。若夫为不善,非才之罪也。恻隐之心,人皆有之;羞恶之心,人皆有之;恭敬之心,人皆有之;是非之心,人皆有之。恻隐之心,仁也;羞恶之心,义也;恭敬之心,礼也;是非之心,智也。仁义礼智,非由外铄我也,我固有之也,弗思耳矣。故曰:"求则得之,舍则失之。"或相倍蓰而无算者,不能尽其才者也。(《孟子·告子上》)

"才"是指材料、材质的意思。就是说不善的人,实际上不是他没有可以为善的材质,也不是没有心性四端,只不过是没有得到扩充,或压抑丧失。孟子基于这种先验道德观念,又提出了良知说。良知就是人先天的善良认知,良能是人先天的善良本能。

> 人之所不学而能者,其良能也;所不虑而知者,其良知也。孩提之童,无不知爱其亲者;及其长也,无不知敬其兄也。亲亲,仁也;敬长,义也。无他,达之天下也。(《孟子·尽心上》)

仁义就是这样的一种良知良能。人"不虑而知,不学而能"的"良知良能"(《孟子·尽心上》),同作为仁之端的恻隐之心,以及性善论,都是一致的,都强调了人向善的可能性。

尽管人本性善,有"良知良能",但人还必须努力穷尽本心,认识本性,才算是从人性的潜意识之中提升出自觉的德性。"尽其心者,知其性也。知其性,则知天矣。"(《孟子·尽心上》)只要穷尽其心去寻找,去挖掘,就能发现自己身上的天赋"良知良能"。他以丧葬为例:

> 盖上世尝有不葬其亲者。其亲死,则举而委之于壑。他日过之,狐狸食之,蝇蚋姑嘬之。其颡有泚,睨而不视。夫泚也,非为人泚,中心达于面目。盖归反虆梩而掩之。掩之诚是也,则孝子仁人之掩其亲,亦必有道矣。(《孟子·滕文公上》)

人类最早并不埋葬亲人,而是抛于荒野,但见到野兽、蚊虫吞噬尸体,产生不忍之心,开始有"孝子仁人"掩埋亲人。孟子维护厚葬,认为是"尽于人心"。他说:"古者棺椁无度,中古棺七寸,椁称之。自天子达于庶人。非直为观美也,然后尽于人心。"(《孟子·公孙丑下》)"能思之心"是人的"大体"，是人区别于禽兽的人性所在。"反身而诚"，直视自我的内心，就能知晓人之为人的人性，而人性是上天所赋予我的，所以我也就知晓了上天。因此，孟子曰："尽其心者，知其性也。知其性，则知天矣。存其心，养其性，所以事天也。夭寿不贰，修身以俟之，所以立命也。"(《孟子·尽心上》)所谓"知性"，就是人之所以为人，人所特有的人性。失去这种特有人性就与禽兽相同。一个人只有做到了"尽心知性"，发现了"良知良能"，使得"四心""四德"充分发挥出来，精神境界和道德水平不断提高，才能成为像尧舜那样的圣贤。

其次，人必须"反身而诚"，穷尽本心，才能认识到自我本性，发掘到"本心""四端"。孟子说："诚者，天之道也。思诚者，人之道也。"(《孟子·离娄上》)"思诚"意味着不断地"反身而诚"(《孟子·尽心上》)，意味着不断追求人之为人的心性认知。恻隐之心、羞恶之心、辞让之心、是非之心这四种道德情感和心理，孟子称为人的四种原始本心，即"道德本心"、"四端"。"四端"是人类社会历经长期交往，在人性中积淀下来的社会道德潜意识，相对于个体的人来说，是出生之前就先天蕴涵在人性之中的，"我所固有之"。孟子强调"四端"还仅仅是一种不自觉的、无意识的道德情感萌芽。人们必须扩充心中的"四端"，才能分别产生仁、义、礼、智四种最基本的道德。"四端"属于人性的"本心"，是内隐的；"四德"是自觉的、有意识的道德观念，是外显的。人如何从"四端""本心"扩充、发展出"四德"理念？孟子认为这是一个心性修养的问题。君子或圣人就是成功实现了心性修养的提升，而成为君子或圣人。如果不能发现"本心""四端"这种萌芽，或者丢掉、抛弃，或者没能扩充，就成为小人或恶人。

再次，在尽心知性，发现了良知之后，就要扩充良知，不断将"本心"提升到"四端",进而跃升至圣人境界。他立足于"自我修养的发展模式",认为美德的获得是对先天的"仁之端"的自我思考的结果,强调自求自得的修养方法。求仁在于强恕,勉力实践恕。"强恕而行,求仁莫近焉。"(《孟子·尽心上》)他又说:"君子深造之以道,欲其自得之也。"(《孟子·离娄下》)所谓修仁行义,事在于我,我求则得,我失则失。人皆有善端,将善端扩而充之,由衷地施行仁义之极,就丝毫不勉强,自然合于仁义,到达"人伦之至",进入圣人的道德境界,因而人人皆可以为尧舜圣人。"舜明于庶物,察于人伦,由仁义行,非行仁义也。"(《孟子·离娄下》)这是一个"有为"的过程。"舜何人也?予何人也?有为者亦若是。"(《孟子·滕文公上》)可见,关键在于"有为"还是"不为",只要"尽心",就能"知性",就能达于圣贤。

总之,"尽其心者,知其性也。知其性,则知天矣。存其心,养其性,所以事天也。夭寿不贰,修身以俟之,所以立命也。"(《孟子·尽心上》)可以理解为:天赋予人良知良能,人通过自省内在的"道德本心",就能认识人的善良本性;人自觉地保存和扩充道德本心,遵循天赋予的善心善性,是天意天命所在;人只有不断修身养性,使自己符合仁、义、礼、智的准则,才能获得内心安乐,掌握人生命运,找到生活意义。在此,孟子论述仁,先说到心性,再说到天,从天到仁有心性做中介,而董子论述仁,则直接以天来阐释。

二、董仲舒的发挥:以天道释仁

先秦儒家在道德伦理学说方面提出了大量的范畴和观念,但很少做出具体的论证,而董仲舒认为人类的社会生活,从道德伦理到国家政治,结合五行学说,都必须符合源自天道的仁、义、礼、智、信,构建了道德伦理的天道观依据,列出了相关的系统性论证:以阴阳配人伦,以五行配道德,提出"三纲五常"说;以天意配皇权,提出"三统"说;以生配性,提出了"性三品"说等等。

董仲舒对仁的发挥,先是上升到天道宇宙观上界定仁,再从人性和人伦论述安人之仁和五常之仁,开启了以天释仁的先河。他把"天"视为人类道德的来源,为儒家的仁学思想寻找到了高于人类自身的形上基础和终极依据,从而使得仁爱思想和人道精神深入中华民族的内心信仰。董仲舒发挥仁学,由现实经验的学转向超验体悟的信,是儒家思想史的关键点和转折处,儒家思想从此成为中华民族文化的主干。

1. 天道之仁

董仲舒充分发挥先秦儒家对仁的解释,极力吸收阴阳五行学说的精华,赋予仁以天的依据。先秦孔子的仁始终具有现世性,是实现生活中真切的感性体验,而董仲舒则致力于为仁建立一个可靠的形上根基,把人与仁确立在至高无上的"天"的基础上,使仁获得一种绝对的权威性,让更多的人信服儒家的理论学说。

首先,他认为人的一切都源于天,仁也必然源于天,社会的道德依据在于天。

"天"的信念在先秦就有,一开始就同人的命运、道德问题紧密相连。西周初期,周公为了证明新政权的合法性,提出了包括"敬德保民"在内的"天命"观,宣扬文王、武王以其"敬德保民"而得到了"天命",周代商统治天下是天命所定。同时,周代会继续推行"敬德保民",拥有天下和"天命"的理念。在这里,"天"有自己独立的道德标准和赏善惩恶的意志,所谓"皇天无亲,惟德是辅"(《尚书·蔡仲之命》),在位的统治者必须"敬德配天"。孔子开创的儒家,把天看作是世间至高的神,是社会秩序和政治制度的准则,既无比"畏天命"

(《论语·季氏》),又积极"知天命"(《论语·为政》),最终做到"天人合德"。孔子以天颂扬尧:"大哉尧之为君也!巍巍乎!唯天为大,唯尧则之。"(《论语·泰伯》)当孔子受到宋国司马桓魋的威胁时,他坚定受命于天而救世的信念,说道:"天生德于予,桓魋其如予何?"(《论语·述而》)可见"天"很早就成为古代社会的信念。

将天与仁连接起来,并作详细论证,当自董仲舒开始。"天者,群物之祖也。故遍覆包函而无所殊,建日月风雨以和之,经阴阳寒暑以成之。故圣人法天而立道,亦博爱而亡私,布德施仁以厚之,设谊立礼以导之。"(《汉书·董仲舒传》)天是董仲舒理论的最高范畴,是宇宙的主宰和最高权威。"天者,百神之君也,王者之所最尊也。"(《春秋繁露·郊义》)这里的"天",不仅是自然界的蓝天,还是宇宙全体和主宰,更是人生和社会价值的源泉和依据,人间是非善恶的最终决定者,人类理想和生存的信念所在。

> 为生不能为人,为人者天也。人之为人,本于天也。天亦人之曾祖父也,此人之所以上类天也。人之形体,化天数而成;人之血气,化天志而仁;人之德行,化天理而义;人之好恶,化天之暖清;人之喜怒,化天之寒暑;人之受命,化天之四时;人生有喜怒哀乐之答,春秋冬夏之类也。(《春秋繁露·为人者天》)

董仲舒提出:人生于天,人的命运也是天授,天之于人独厚,人之于物独贵。人处处都模仿天,是天的副本,从外在形体、血气,到内在仁性,都可以从天象物候中获得根据和证验。仁的根据不在人自身,也不能在现世生活的社会秩序中去寻找,而在于天,仁是人的血气在禀受了天的意志之后而形成的。仁是天的意志与人的血气相结合的产物。人是天地所生万物之中最尊贵的生灵，人从而禀赋了天地的精华，效仿天的结构和本质。天有春夏秋冬，人有喜怒哀乐，天与人息息相关。因而人能够参于天地的造化之功，认识和赞美天地的伟大。

仁是天的意志，是天所具有的根本倾向，而人生于天，人的行为举止效仿天，仁同时为天、人所共有，因此仁是天与人沟通的枢纽、中介。

> 凡灾异之本，尽生于国家之失。国家之失，乃始萌芽，而天出灾害以谴告之。谴告之而不知变，乃见怪异以惊骇之。惊骇之尚不知畏恐，其殃咎乃至。以此见天意之仁而不欲陷人也。（《春秋繁露·必仁且智》）

国家社会的好坏得失会受到上天的告示，或降祥瑞，或遭灾异，这都是天与人相互感应的结果。这就是董仲舒基于天道论的天人感应说。

其次，仁德是天道的本质属性。天有好生之德，有仁爱之道。人出于天，分享了上天的道德性质。仁的美妙在于天。上天以无穷无尽地生育万物为根本使命，天是宇宙万物的主宰，又具有道德意志，天的本质属性就是仁爱。

> 仁之美者在于天。天，仁也。天覆育万物，既化而生之，有养而成之，事功无已，终而复始。凡举归之以奉人。察于天之意，无穷极之仁。人之受命于天也，取仁于天而仁也。是故人之受命天之尊，父兄、子弟之亲，有忠信慈惠之心，有礼义廉让之行，有是非逆顺之治。文理灿然而厚，知广大有而博，唯人道为可以参天。

（《春秋繁露·王道通三》）

人生于天，人的情感也源于天，人间的一切道德都是来源于、效仿于上天。天有阴阳法则与四时秩序，人也便有父兄子弟之亲、"忠信慈惠之心"、"礼义廉让之行"、"是非逆顺之治"。人可以从天那里看出仁的最完善状态，天就是仁的化身，就是仁的理想化形式。因此，人也从天那里领悟、模仿仁德，天道是社会道德产生的根源，仁是天道赋予人类的规定。这里的"仁"最基本的含义不是"爱亲"和"爱人"，而是天生宇宙万物的"生"，宇宙万物也都有自行生长、生成的特性。"生"成为天下万物的最基本的品格，这就是最大的仁，所以由"天"到"生"再到"仁"，是从不同方面谈论的同一个东西，后世儒家也多沿袭这一含义。

就国家政治而言，既然仁是天的意志与品格，霸道和王道都必须依据仁，不得违背仁。"《春秋》之道，大得之则以王，小得之则以霸。故曾子、子石盛美齐侯，安诸侯，尊天子。霸王之道，皆本于仁。仁，天心。故次以天心。……不爱民之渐，乃至于死亡，故言楚灵王、晋厉公生弑于位，不仁之所致也。"（《春秋繁露·俞序》）董仲舒认为《春秋》的根本宗旨，就是要君王领会如何施行仁政。君王能否很好地称王于天下，取决于仁政实现的效果。王霸成败，全然维系于仁与不仁之间。爱民则成为仁人，不爱民则处于死亡之地，楚灵王、晋厉公都被弑杀，正是他们施行不仁之政。

2. 安人之仁

董仲舒论证的天道之仁是从天说仁，仁被抬高到了天的意志高度，但其真正的目的还在于论证仁在人世间的必然性。他对人类社会现实生活的仁也有独到的发挥和理解。

他认为仁源于天，但在人而言，同人的心理密切相关。

> 何谓仁? 仁者,憯怛爱人,谨翕不争,好恶敦伦,无伤恶之心,无隐忌之志,无嫉妒之气,无感愁之欲,无险诐之事,无辟违之行。故其心舒,其志平,其气和,其欲节,其事易,其行道,故能平易和理而无争也,如此者,谓之仁。(《春秋繁露·必仁且智》)

无论"憯怛"、"谨翕"、"心舒",还是"志平"、"气和"、"欲节",所关注的都是人的感性心意活动。仁所依据的主观基础是人的主观性情。在这一点上,董仲舒延续了先秦儒家的观点。

董仲舒有别于先秦诸儒,着重厘定了仁与义的关系,提出了"以仁安人,以义正我"的观点。他说:

> 《春秋》之所治,人与我也。所以治人与我者,仁与义也。以仁安人,以义正我。故仁之为言人也,义之为言我也,言名以别矣。仁之于人,义之于我者,不可不察也。众人不察,乃反以仁自裕;而以义设人,诡其处而逆其理,鲜不乱矣。是故人莫欲乱,而大抵常乱,凡以闇于人我之分,而不省仁义之所在也。(《春秋繁露·仁义法》)

《春秋》所治学的无非就是人与我、仁与义两大问题,就是"以仁安人,以义正我"。仁爱的对象不是自己,不限于亲人,而主要是有别于亲我的他人;道义指向的对象则是自我。君子的修身,应该以仁爱之心安抚别人,而以道义的法则规范严格约束自己。否则,人们总是用虚假的仁爱来爱自己,用虚假的道义要求别人,违背仁与义的道德本意,人与我之间的社会关系必然出现混乱。因此,董仲舒说只有重视仁义之分,人我之别,严于律己,宽以待人,才能让仁义道德得以进一步张扬。

董仲舒强调了"仁"的对象是自我和亲人以外更为广大的人群,突出了仁爱的社会性质与意义,克服了个人中心主义和先秦儒家爱亲中心主义的倾向。

> 是故《春秋》为仁义法。仁之法,在爱人,不在爱我;义之法,在正我,不在正人。我不自正,虽能正人,弗予为义;人不被其爱,虽厚自爱,不予为仁。昔者,晋灵公杀膳宰以淑饮食,弹大夫以娱其意,非不厚自爱也,然而不得为淑人者,不爱人也。质于爱民,以下至于鸟兽昆虫莫不爱。不爱,奚足谓仁?仁者,爱人之名也。
>
> 以知明先,以仁厚远,远而愈贤,近而愈不肖者,爱也。故王者爱及四夷,霸者爱及诸侯,安者爱及封内,危者爱及旁侧,亡者爱及独身。独身者,虽立天子诸侯之位,一夫之人耳,无臣民之用矣。如此者,莫之亡而自亡也。(《春秋繁露·仁义法》)

他说,仁的法则是爱人,即爱别人,而不只是爱自己。孟子所谓"不忍人之心"也是指不忍心灾厄于别人。只懂得自爱的人是极端自私的人,被称为独夫或小人,得不到广阔的人缘。晋灵公杀厨师,打士大夫,只为自我娱乐,这种过度自我恣意妄为的"自爱"完全有别于推己及人的仁爱。真正的仁爱,一方面是将自己的仁心推扩出去,理解他人,理解社会;另一方面是现实地将爱延伸到外物、他人。如果爱只停留在自我和亲人圈子里,人就会封闭自我,不能正常社会化。如果爱只停留在主观的仁心,还算不上是仁,因为他还停留在自我的观念之中。特别是作为国君,其仁爱只有打破自我中心,突破近亲圈子,恩泽最大化地遍及老百姓,爱同胞,爱同族,爱同类,以至于天地万物,才有博爱情怀,才能招揽贤良才能。如果爱心推扩得越远,就越贤惠,如果爱心滞留得越近,就越不肖。仁人必定善于让其他人群蒙受恩泽,所以董仲舒说:"远而愈贤,近而愈不肖""推恩者,远之而大;为仁者,自然而美。"(《春秋繁露·竹林》)

总之,仁的对象是他人,唯有远而非近,才是仁爱的施行方向。董仲舒正是看到了社会人群愈加分化,自私观念愈加强烈,"各亲其亲,各子其子",使得人际纠纷冲突急剧增多,社会动荡不安,其中的关键症结在于个人中心主义和爱亲中心主义,正是仁爱之心不恰当地被拘束。王者爱及四夷天下,霸者爱及诸侯邦国。当爱心仅仅局限于自身,就失去了他人的尊敬和关心,就成了将要危亡的独夫。因此,董仲舒提出"以仁安人,以义正我",特别强调了仁的对象、内容与功能在于"安人"。

3. 五常之仁

董仲舒认为仁作为天的根本性质,同样也是人的伦常生活无条件遵循、不可抗拒的必然法则。在确立道德秩序的规则之前,董仲舒同孟子、荀子一样,先分析人性的性质,得出"性三品"结论,再提出"三纲"和"五常"的日常规范。他说:"性之名非生与? 如其生之自然之资谓之性,性者质也。"(《春秋繁露·深察名号》)他认为性是人生来所具有的资质,这一界定同荀子是一致的,不同于孟子,但董仲舒的结论与两者都不相同。孟子认为人性天生是善的,荀子认为人性天生是恶的,董仲舒则认为人由天所生,天有阴阳,所以人性天生有善有恶。

> 人之诚,有贪有仁。仁贪之气,两在于身。身之名,

> 取诸天。天两有阴阳之施，身亦两有贪仁之性。天有阴
> 阳禁，身有情欲框，与天道一也。（《春秋繁露·深察名
> 号》）

虽然人性有善恶，有贪仁，但整体上，天道好善乐施，人类同样喜欢善而厌弃恶，因此人心的趋势就是克服邪恶，尽心向善。

所谓善，不是天生的人性，而是从天生人性之中演化出来的。如同禾苗与稻米，"善如米，性如禾。禾虽出米，而禾未可谓米也。性虽出善，而性未可谓善也"（《春秋繁露·实性》）。既然善不是人性本身，又是如何从人性中演化出来的呢？董仲舒说：

> 善，教训之所然也，非质朴之所能至也，故不谓性。
> 性者宜知名矣，无所待而起，生而所自有也。善所自有，
> 则教训已非性也。是以米出于粟，而粟不可谓米；玉出
> 于璞，而璞不可谓玉；善出于性，而性不可谓善。（《春秋
> 繁露·实性》）

正是后天的教化，才使得原本有贪与仁的人性导引出纯正善良。相反，如果人性直接就是善良的，那么社会教化就没有必要，国家政治也不需要，而且无法解释后天中为什么有的人善良、有的人贪婪。

既然善是对人性教化的结果，那么是谁施加教化？谁被施加教化？施加教化的人又如何保证自己是善良的呢？为此，董仲舒提出了"性三品"说：

> 圣人之性不可以名性，斗筲之性又不可以名性，名

性者,中民之性。中民之性如茧如卵。卵待覆二十日而后能为雏,茧待缲以涫汤而后能为丝,性待渐于教训而后能为善。(《春秋繁露·实性》)

圣人的品性天生至善,属于极少数人,不适合拿来讨论普遍的人性,他们不需正名教导,是施加教化的人;斗筲之人的品性天生极恶,也属于极少数人,也不适合拿来讨论普遍的人性,他们天生就缺乏善良的资质,无法接受正名教化,品行无法改变;绝大多数人是中民之性,是我们讨论普遍人性的对象,他们具有善良的资质,但必须接受圣人潜移默化的教导才能向善为善。可见,由圣人教导众人,是社会从善如流、仁德广布的重要条件。

董仲舒提出了圣人对万民进行正名教化的"三纲五常"说。"三纲"和"五常"在战国时期就有相应的思想观念。孔子一直致力于"君君,臣臣,父父,子子"(《论语·颜渊》)的正名,意在使得君主该当要有君主的样子,君臣父子都要名副其实。孟子提出了"不仁不智,无礼无义,人役也"(《孟子·公孙丑上》)的"四基德",以及"父子有亲,君臣有义,夫妇有别,长幼有序,朋友有信"(《孟子·滕文公上》)的"五伦"道德规范。在孔孟那里,君臣之间的还是比较对等的关系,孟子说:"君之视臣如手足,则臣视君如腹心;君之视臣如犬马,则臣视君如国人;君之视臣如土芥,则臣视君如寇雠。"(《孟子·离娄下》)后来韩非子说:"臣事君、子事父、妻事夫,三者顺则天下治,三者逆则天下乱,此天下之常道也。"(《韩非子·忠孝》)而董仲舒最早使用"三纲"和"五常"两称谓,他说:"王道之三纲,可求于天。"(《春秋繁露·基义》)又说:"夫仁、谊(义)、礼、知(智)、信五常之道,王者所当修饬也。"(《举贤良对策》)这是第一次将仁义礼智信并称为"五常"。

但是"君为臣纲,父为子纲,夫为妻纲"这句话则是出于西汉末期的《礼纬·含文嘉》,而非董仲舒。"三纲"与"五常"连在一起使用,始于北宋朱子等人习惯使用"三纲五常"语句。北宋为了彻底终结五代十国的君弱臣强、诸侯割据、尾大不掉等现象,大力强化中央集权,对"三纲五常"等传统道德伦理做了刻意的改造,君臣、父子、夫妻之间的双向道德要求演变成对臣、子、妻的片面的单向要求。明清时期"三纲五常"更加走向片面化和绝对化,成为束缚人的道德枷锁。清末历史巨变,康有为、谭嗣同等维新派对"三纲"发起猛烈批判,随后新文化运动引发了对整个中国传统文化几乎全盘的否定。现今我们已经逐渐回归理性,开始有分析的审视,譬如有前辈学者说"三纲"不可留,"五常"不可废。

董仲舒试图将道德伦理转化为制度化的社会规范。汉代出现了先秦儒学的经学化,原本的道德伦理思想逐渐演变成实用的政治性价值观念,"三纲五常"就是这一趋势的代表。"三纲"是针对特定人际关系的规范,"五常"是所有人都应当具有的德性,具有超越性和普遍性。孔子的"为仁之方"集中体现在人自身内心的修养,董仲舒则考虑通过社会生活的外在标准灌注到道德的心性教化。"三纲"正是董仲舒所提炼出外在化的行为准则,"五常"为"仁"、"义"、"礼"、"智"、"信",是支配"三纲"的内在德性。譬如"仁者爱人",仁是内在德性,而爱人则是仁这一德性所表现出来的外在行为。先秦儒家已经注意到了两者之间的巨大差异,更多地着重强调于人的内心品质。孔子在解答学生对仁的解释时,就依据学生的个性特点,从不同的方面做出解答。同样,道德主体的个性差异,各种不同特定情形,以及社会时代的发展,"为仁之方"也必然有差异,所以早期儒家都不用"立人"、"达人"、"博施济众"、"勿施于人"等行为和结果作为评判仁的标准,因而"兼济天下"是仁，"独善其身"也可以是仁。

董仲舒运用五行学说，对"三纲"和"五常"作了大量的论证，它们被视为天的法则，是无比神圣的，也是人世的道德和政治原则。例如：

> 天地者，万物之本，先祖之所出也。广大无极，其德昭明。历年众多，永永无疆。天出至明，众知类也，其伏无不照也；地出至晦，星日为明不敢暗，君臣父子夫妇之道取之此。（《春秋繁露·观德》）
>
> 是故仁义制度之数，尽取于天。天为君而覆露之，地为臣而持载之；阳为夫而生之，阴为妇而助之；春为父而生之，夏为子而养之。王道之三纲，可求于天。（《春秋繁露·基义》）
>
> 父子夫妇之义，皆取诸阴阳之道。君为阳，臣为阴；父为阳，子为阴；夫为阳，妻为阴。阴道无独行，其始也不得专起，其终也不得分功，有所兼之义。是故臣兼功于君，子兼功于父，妻兼功于夫，阴兼功于阳，地兼功于天。（《春秋繁露·基义》）

从这些论述中我们可以看到，一方面突出了君、父、夫的地位，君是君，臣是臣，不得僭越；另一方面也强调君臣、父子、夫妇的双向职责，如君惠臣忠，父慈子孝，兄友弟恭，君、父、夫必须做榜样和表率。董仲舒说："天之生民非为王也，而天立王以为民也。故其德足以安乐民者，天予之；其恶足以贼害民者，天夺之。"（《春秋繁露·尧舜不擅移汤武不专杀》）这些观念无疑限制了君权的绝对化。至于"君要臣死臣不得不死，父要子亡子不得不亡"之类的语句，在古典文献中则无从考证，极可能是后人的杜撰。

　　总之,董仲舒以天释仁,把仁解作天心,确立了道德伦理的天道论基础。孔子新创仁学之后,关于仁的来源和根据一直局限于人的心理世界,仁的确认与把握也是通过个人的主观体验来完成,还没有找到"仁"的外在客观性和社会普遍性的依据,缺乏可靠的理性支撑。董仲舒对"仁"作了别出心裁的理解和严肃细密的论证,提出"是故仁义制度之数,尽取之天"(《春秋繁露·基义》)。用天的神圣性和不可侵犯性展现出仁所具有的绝对性和超越意义,以此来限定民众的言行和王权的滥用,特别是对君王的主观意志与政治行为做出适当、有效而必要的匡正和制约。于是便推导出道统高于政统、神权优越于君权、天道至上的道德政治结论。

三、程朱的改造:以天理言仁

　　如何更清晰地界定"仁"、"爱"、"孝悌"、"心"、"性"、"情"、"天"等范畴之间的关系? 如何更为深刻地论证"仁"的必然性? 继董仲舒以天道释仁之后,韩愈以博爱称仁:"博爱之谓仁,行而宜之之谓义,由是而之焉之谓道。足乎己无待于外之谓。"(《昌黎先生文集·原道》)张载则说:"民吾同胞,物吾与也。"(《西铭》)即所谓天地万物,一视同仁。程朱则以体用、性情、动静、已发未发等诸多新的观念来阐释仁学问题,在相当程度上改造了以往仁学基础理论,使得仁学理论体系更加深刻、精准。

　　程朱对仁学的提升和改造,主要体现在三方面:一是在基本内涵上,界定了"仁"与"心"的关系,得出了"仁"是心之性结论;二是在道德体系上,确立了"仁"与其他所有道德纲目之间的关系,提出了"仁"是德之元,"仁包四德"的观点;三是在存在依据上,明确"仁"是天之理,"生生之德为仁"的论断。

1. 心之性："爱自仁出"

程朱严格区分体与用、性与情、已发与未发，并用以分析仁与爱的关系。朱子说："如水之或流或止，或激成波浪，是用；即这水骨可流可止，可激成波浪处，便是体。"（《朱子语类》卷六）水自身是体，而水的运动形态则是水的用，通过把握水的具体形态，从而认识水的本性和本质。仁与爱哪个是体，哪个是用呢？程颐第一个反对以"爱"释"仁"，对孔孟的"仁"作了根本性改造。他提出仁为体，属性；爱为用，属情；只能说爱自仁出，不可谓爱即是仁。"性为本，情是性之动处"（《河南程氏遗书》卷二），性是事物的本原体貌，情是外在的触发应用；仁是人心的性，内心未发之本原体貌，而"爱"、"恻隐"都是心之所发出的情，是心面对具体事物的触发应用。"孟子曰：恻隐之心仁也，后人遂以爱为仁，恻隐固是爱也。爱自是情，仁自是性，岂可专以爱为仁？"（《河南程氏遗书》卷十八）所以称仁为爱，就是将本原体貌归为触发应用；称爱为仁，则又是以树枝界定种子，以部分称谓整体，如此都必然会出现偏差。正是由于体用、性情二分方法的采用，仁与爱从而分别属于不同层次的范畴，爱是"当然"、"应然"，仁是"所以然"，后者是前者产生的根据："故仁所以能恕，所以能爱。恕则仁之施，爱则仁之用也。"（《河南程氏遗书》卷十五）在这种逻辑关系中，仁处于整个道德情感、道德理念、道德行为的最核心位置，被理解为爱、恕、孝悌、恻隐等范畴的根据，因而仁获得了道德的本体地位。

再譬如韩愈"博爱之谓仁"的说法，程颐就不赞同："退之言'博爱之谓仁'，非也。仁者固博爱，然便以博爱为仁，则不可。"（《河南程氏遗书》卷九）"博爱"、"恻隐"都是心处理社会事件流露出来的情感，心之所以发出这样的情感，在于心自身本原的性体。韩愈的"博爱之谓仁"混淆了性与情的差异。

仁正是心自身本原的性体！二程说："仁,体也。"(《河南程氏遗书》卷二)"恻隐则属爱,乃情也,非性也。……因其恻隐之心,知其有仁。"(《河南程氏遗书》卷十五)"万物皆有性,此五常性也。若夫恻隐之类,皆情也,凡动者谓之情。"(《河南程氏遗书》卷九)仁是心不动的自性和本原体貌,善、博爱、恻隐都是心之动情,区别在于是心之未发还是已发。心有思虑功能,善、博爱、恻隐实际上都是作为心性本体所用的发动和表现。"在天为命,在义为理,在人为性,主于身为心,其实一也。心本善,发于思虑则有善不善。若既发,则可谓之情,不可谓之心。"(《河南程氏遗书》卷十八)二程说："仁是性也,孝弟是用也。"(《河南程氏遗书》卷十八)这句判断也是同理。

二程之所以界定仁是人心之性体,是心所未发的本原体貌,意在强调仁是人心所本有,不待外求。"学者识得仁体,实有诸己,只要义理栽培。"(《河南程氏遗书》卷二)人直面心的本原体貌——仁性,最能完整体悟仁的义理,而"孝悌"、"恻隐"等只是表明"仁"的说法。通过厘定仁的本身与仁的行为,强调了仁的依据和教化也就在人心自身。

朱熹论仁,更加凸显了仁的道德本体性,仁成为人存在的道德本质。他有两个重要命题：

> 仁者,心之德,爱之理。(《论语集注·学而》)
> 仁是体,爱是用。又曰爱之理,爱自仁出也。(《朱子语类》卷二十)

这句话也是在二程的体用、性情方法论意义基础上作出的论断。仁不是心,而是"心之德",即心之性。仁不是爱,而是"爱之理",即爱的天理依据所在。"仁者,爱之体;爱者,仁之用。""仁是爱之理,爱是仁之用。"(《朱子语类》卷二十)仁与爱是体与用、性与情、未发与已发的关系，前者是后者的依据，后者出自前者。朱子说："所谓爱之理者，则正所谓仁是未发之爱，爱是已发之仁尔。"（《朱子语类》卷二十）他形象地将仁与爱的体用关系比喻为根与苗的关系："仁只是个爱底道理。……仁是根，爱是苗。不可便唤苗做根，然而这个苗却定是从那根上来。"（《朱子语类》卷二十）

在体用、性情等方法分析下，一旦明确了仁与爱之间的关系，得出仁为心之性，"爱自仁出"结论之后，《论语》论述的仁与孝悌关系，《孟子》论述的仁与恻隐关系，都被程朱彻底改造。

首先，仁与孝悌的关系。

《论语·学而》篇记载："君子务本，本立而道生。孝弟也者，其为仁之本与！"这句话有人理解为仁以孝悌为根本，也有人解释为孝悌是行仁的根本。这里关键是如何理解"其为仁之本"的"为"字。当程颐弟子问这句话的含义，程颐断然否定了"由孝弟可以至仁"的观点，他说道：

> 非也。谓行仁自孝弟始。盖孝弟是仁之一事，谓之行仁之本则可，谓之是仁之本则不可。……盖仁是性也，孝弟是用也。性中只有仁义礼智四者，几曾有孝弟来？（《河南程氏遗书》卷十八）

因为仁是人的内心本性和道德本体，孝悌则是由此本体触发的道德情感应用，最多只能看作是实践仁心的基本要求。如果我们把孝悌看作是仁的根本，那么实际上是降低了仁的地位，而且完全可能为了自我小家的孝悌，做出危害社会国家的违法乱纪行为。可见，程颐以体用、性情方法和观念，来辨明仁与孝悌的关系，反对混淆体用、性情，更反对以用为体、以情为性,这种逻辑十分精当,而且这种论断贴合现实。程颐对仁与孝弟的关系梳理,凸显了仁在儒学体系中的核心地位,促进了仁学思想的发展。

对仁与孝悌关系,朱子沿用二程的体用、性情、未发已发等分析方法,做了更为详尽的阐发。朱子说:

> 仁便是本,仁更无本了。若说孝弟是仁之本,则是头上安头,以脚为头。(《朱子语类》卷一百一十九)
>
> 论性,则仁是孝弟之本。惟其有这仁,所以能孝弟。仁是根,孝弟是发出来底;仁是体,孝弟是用;仁是性,孝弟是仁里面事。(《朱子语类》卷一百一十九)
>
> 仁是理,孝弟是事,有是仁,后有是孝弟。(《朱子语类》卷二十)
>
> 仁是性,孝弟是用,用便是情,情是发出来底。论性,则以仁为孝弟之本;论行仁,则孝弟为仁之本。如亲亲,仁民,爱物,皆是行仁底事,但须先从孝弟做起,舍此便不是本。(《朱子语类》卷二十)

这四段话反复明确地强调了同样的仁孝关系:仁是体,孝悌是用;仁是性,孝悌是情;仁是未发,孝悌是已发;仁是理,孝悌是事。仁已经被确认为形上的本体层面,而行仁则是属于形下的实践层面,如孝悌、忠恕、恻隐等。朱子还用种子与秧苗做比喻,"譬如一粒粟,生出为苗,仁是粟,孝弟是苗,便是仁为孝弟之本。"(《朱子语类》卷二十)因此,不能说孝悌是仁之本,只能说孝悌是行仁之始。可见朱子对仁与孝悌关系分辨得十分清晰、透彻。

其次,仁与恻隐的关系。

孟子先在《孟子》卷三里说:"恻隐之心,仁之端也。"(《孟子·公孙丑上》)又在《孟子》卷十一中说:"恻隐之心,仁也。"(《孟子·告子上》)其中涉及到了"心"、"仁"、"恻隐"三个范畴,孟子的两句话所表达的关系是比较含混的,毕竟"仁"与"仁之端"不可能是一回事。但究竟是先有仁,仁萌发为恻隐之心呢?还是先有恻隐之心,再由恻隐之心发展为仁?许多学者常认为人先有恻隐之心,然后扩充人的"四端",最终修成仁者。程朱在这一问题上用力甚深,且有独到的见解。程颐提出仁是心之性,恻隐则是由仁所发之情,人们可以由恻隐之情而推知人有仁心,正如通过察看到树木发芽长叶,可以推知树木有根须一样。朱子评价程颐的观点时说:"心者,兼体、用而言。程子曰:'仁是性,恻隐是情。'若孟子,便只说心。程子是分别体、用而言;孟子是兼体、用而言。"(《朱子语类》卷二十)正是程朱区分了体与用,性与情,把仁放在非常重要的位置。这同程朱主张仁是"德之元","天之性"完全一致。

朱子在界定心、仁、恻隐之间关系时,沿用二程的体用、性情、已发未发分析方法,充分论证了仁相对于恻隐的本体地位。他说:

> 性是未动,情是已动,心包得已动未动。盖心未动则为性,已动则为情,所谓"心统性情"也。……"心统性情",故言心之体用,尝跨过两头未发、已发处说。仁之得名,只专在未发上。恻隐便是已发,却是相对言之。(《朱子语类》卷五)
>
> 只是一个心,便自具了仁之体、用,喜怒哀乐未发处是体,发于恻隐处,便却是情。(《朱子语类》卷二十)

在此处心的已发和未发,相当于现代心理学的意识和潜意

识。心是人意识和潜意识的存在整体,包括了一切人的性和
情,已发和未发的。"仁便藏在恻隐之心里面,仁便是那骨
子。"(《朱子语类》卷七十四)仁是心内在的未发本质和特性,
是心中暂时按下的潜意识。恻隐是潜意识在特定情形下激
发出的情感,是仁心的发明使用。先有仁,仁是心之性,未发
时就是仁,已发之萌芽就是恻隐。所以说仁是未发,恻隐是
已发;仁是体,恻隐是用;仁是心之性,恻隐是仁之情。

　　朱子还通过设置大量的比喻,如根和萌芽、母和子等,说
明他对仁与恻隐关系的判断,从而揭示仁的特殊地位。
例如:

　　　　仁是根,恻隐是萌芽。(《朱子语类》卷六)
　　　　四端者,端如萌芽相似,恻隐方是从仁里面发出来
　　底端。(《朱子语类》卷二十)
　　　　仁义礼智,是未发底道理,恻隐、羞恶、辞逊、是非,
　　是已发底端倪。如桃仁、杏仁是仁,到得萌芽,却是恻
　　隐。(《朱子语类》卷五十九)
　　　　仁是恻隐之母,恻隐是仁之子。(《朱子语类》卷五
　　十九)
　　　　缘是仁义礼智本体自无形影,要捉摸不著,只得将
　　他发动处看,却自见得。恰如有这般儿子,便得知是这
　　样母。(《朱子语类》卷五十三)

朱子把仁比喻为根,恻隐比喻为萌芽,又把仁比喻为母,恻隐
比喻为子,都是旨在说明仁的先在性和根本性,恻隐则成为
仁性所萌发出来的端倪,恻隐之心又可以反过来充实仁心,
最终发展为完善的仁。如此一来,孟子所说"恻隐之心,人之
端也"就有了全新的含义。既然心之性为仁,而仁心为善,所

以孟子的性善论也就有了更坚实的理论基础。可见，经程朱对仁的内涵和相关范畴的改造，原有的仁学论断更具有说服力，仁学体系更加严密了。

2. 德之元："仁包四德"

在程朱阐释仁与义、礼、智等其他道德纲目关系之前，就已有人做了一些探讨，但最为鲜明地确立仁在儒家学说和中华道德体系的核心地位的，当属程朱。程朱在继承前人观点基础上，做出了最明确的论断：仁是"德之元"，"仁包四德"，道德的核心和总纲就是"仁"。

孔子开创仁学之时，是由礼而仁，仁礼并举。孔子为了挽救周礼，恢复社会秩序，发明礼治背后的人道精神——仁。当时礼原本是现实社会广泛流行的制度规范，但逐渐退化为一种形式，丧失了原有的真实意义，孔子面对礼的严重危机，以爱释仁，用仁来补充、辅助礼，既规范人们的行为，又调解人的内心，最终实现"克己复礼"。孟子和董仲舒不满足于孔子的仁礼并举，试图建立一个完整的道德体系，分别提出了仁、义、礼、智"四基德"和仁、义、礼、智、信"五常"。孟子仁学中的"四心"、"四端"、"四德"并列，没有将恻隐之心或仁之端、仁之德从中提取出来，仁只是其中的一条道德条目，仁的特殊意义和地位在整个体系之中没有得到应有显现。

到了宋代，思想家们开始对道德体系化繁为简，逐渐突出仁的特殊地位。譬如王安石在阐发孔子"志于道，据于德，依于仁"时说：

> 语道之全，则无不在也，无不为也，学者所不能据也，而不可以不以心存焉。道之在我者为德，德不据也。以德爱者也，仁譬则左也，义譬则右也，德以仁为主，故君子在仁义之间，所当依者仁而已……礼者，体此者也；

智,知此者也;信,信此者也。(《临川先生文集·答韩求仁书》)

王安石认为全部道德范畴归结起来就是仁义二字,"不知仁义之无异于道德,此为不知道德也"(《道德经注》)。而在"仁"与"义"之间,"仁"是根本,"德以仁为主",道德"当依者,仁而已"。可见王安石已经突出了仁在整个道德中的地位。

程朱开始注意到恻隐之心可以融贯其他诸道德心,仁可以通贯诸德,起到道德宗元的作用。这里的仁有两个层面:"仁乃生物之主,故虽居四者之一,而四者不能外焉。此易传所以有偏言则一事,专言则包四者之说。固非独以仁为性之统体,而谓三者必已发而后见也?"(《朱子语类》卷五十六)一是作为"四基德"或"五常"之一的仁;一是作为道德整体和起始的宗元,所以包含了其他德目。程颐认为仁是人的大脑,义、礼、智、信则是人躯体的四肢,大脑既是躯体一部分,又是一身之主,驱动四肢。仁是四德之元,兼四德,就如同人以大脑为主宰,由大脑驱动四肢。关于仁是"德之元","仁包四德",朱子有一段最为经典的表述:

> 须先识得元与仁是个甚物事,便就自家身上看甚么是仁,甚么是义、礼、智。既识得这个,便见得这一个能包得那数个。若有人问自家:"如何一个便包得数个?"只答云:"只为是一个。"问直卿曰:"公于此处见得分明否?"曰:"向来看康节诗,见得这意思。如谓'天根月窟闲来往,三十六宫都是春',正与程子所谓'静后见万物皆有春意'同。且如这个椁子,安顿得恰好时,便是仁。盖无乖戾,便是生意。穷天地亘古今,只是一个生意,故曰'仁者与物无对'。以其无往非仁,此所以仁包四德

也。"(《朱子语类》卷九十五)

朱子围绕这段话，从道德的元初、发展、体用等多个角度，做了详尽的论证。

首先，就道德的元初而言，仁是道德的起始。所以朱子说：

> 元只是初底便是，如木之萌，草之芽。其在人，如恻然有隐，初来底意思便是。所以程子谓看雏鸡可以观仁，为是那嫩小底，便是仁底意思在。(《朱子语类》卷九十五)
>
> 仁本难说，中间却是爱之理，发出来方有恻隐；义却是羞恶之理，发出来方有羞恶；礼却是辞逊之理，发出来方有辞逊；智却是是非之理，发出来方有是非。仁义礼智，是未发底道理，恻隐、羞恶、辞逊、是非，是已发底端倪。如桃仁、杏仁是仁，到得萌芽，却是恻隐。(《朱子语类》卷五十三)

仁在仁、义、礼、智"四基德"中，"以先后言之，则仁为先"(《朱子语类》卷六)。先有了仁，而后才有其他德目，犹如一年四季以春为元初，并都导源于春，"发生之初为春气，发生得过便为夏，收敛便为秋，消缩尽便为冬"(《朱子语类》卷九十五)。

其次，就道德的发展而言，正因为仁具有元初性，其他道德的产生都依赖于仁。朱子说：

> 问："仁何以能包四者？"曰："人只是这一个心，就里面分为四者。且以恻隐论之：本只是这恻隐，遇当辞逊

则为辞逊,不安处便为羞恶,分别处便为是非。若无一个动底醒底在里面,便也不知羞恶,不知辞逊,不知是非。"(《朱子语类》卷九十五)

所谓性者是个真实无妄的道理,如仁、义、礼、智,皆真实而无妄者也。故信字更不须说,只仁、义、礼、智四字于中各有分别,不可不辨。盖仁则是个温和慈爱的道理,义则是个断制裁割的道理,礼则是个恭敬撙节的道理,智则是个分别是非的道理。凡此四者具于人心,乃是性之本体……仁字是个生的意思,贯通周流于四者之中。仁固仁之本体也,义则仁之断制也,礼则仁之节文也,智则仁之分别也。(《晦庵集》卷七十四)

仁心会发出恻隐之心,而恻隐之心是主动的、积极的,具有感召力,羞恶、辞让、是非则是静态的,是受到恻隐之心被动发起的。"恻隐是个脑子,羞恶、辞逊、是非须从这里发出来。若非恻隐,三者俱是死物了。恻隐之心通贯此三者。"(《语类》卷五十三)恻隐之心犹如大脑,具有感召力和驱动力,能够贯通全身,支配四肢的活动,而羞恶、辞让、是非的功能则是单一的,由恻隐所发动。因此,义可以看作是仁的裁断制约,礼可以看作是仁的礼仪文饰,智可以看作是仁的分辨区别,各项道德条目都依赖于仁。

再次,就道德的体用而言,在仁、义、礼、智四德中,仁是体,其他为用。"仁者,本心之全德。"(《论语集注》卷六)仁是人心的根本性质,比其他德目更为根本。恻隐之心可以融贯其他诸道德心,仁可以通贯诸德,由仁产生"四心"、"四端"、"四德"。

性是太极浑然之体,其中含具万理,而纲理之大者有四，曰仁义礼智。四者之中，仁义是个对立底关键。盖仁，仁也，而礼则仁之著；义，义也，而智则义之藏。犹春夏秋冬虽为四时，然春夏皆阳之属也，秋冬皆阴之属也。故曰立天之道曰阴与阳，立地之道曰刚与柔，立人之道曰仁与义。天地之道不两则不能立。仁义虽对立而成两，然仁实贯通于四者之中。盖偏言则一事，专言则包四者。故仁者仁之本体，礼者仁之节文，义者仁之断制，智者仁之分别。犹春夏秋冬虽不同，不出乎春。春则春之生也，夏则春之长也，秋则春之成也，冬则春之藏也。自四而两，自两而一，则统之有宗，会之有元矣。（《朱子语类》卷五十三）

仁、义、礼、智可以统归为仁与义，而仁与义又可以归宗于仁，如同四季可以统归为春。仁是人心的性体，义、礼、智则是仁分发出来的情用。

总之，程朱对孔孟仁学进行了改造，将道德条目之"仁"提升为道德宗元，对孔孟仁学理论的发展作出了重大贡献

3. 天之理："生生之德"

从董仲舒开始就已经将天、生同仁连在一起，提出仁源自于天。后世儒者也有直接把"仁"理解为"生"的，例如，北宋周敦颐就曾说："天以阳生万物，以阴成万物。生，仁也；成，义也。故圣人在上，以仁育万物，以义正万民。天道行而万物顺，圣德修而万民化。大顺大化，不见其迹，莫知其然，之谓神。"（《通书·顺化》）他用"生"解释"仁"，用"成"解释"义"。如果说程朱把仁界定为心之性，德之元，还仅仅是在人类层面，那么程朱从宇宙论的超越层面，把仁与天、生结合起来，仁成为天地化育万物的内在动力，揭示了仁的宇宙精神和价值关怀，确立了仁学的信仰维度。

程颢说:"'天地之大德曰生',……万物之生意最可观,此'元者善之长'也,斯所谓仁也。"(《河南程氏遗书》卷十一)生是天地大德,但《易传》没有说明上天的生生之德即是仁。程颢第一个明确用万物的生意、春意来说明仁。这是儒家仁学思想的重要发展。在这种观念里,天生宇宙万物,天与人、与万物都是一体的,"天人本无二,不必言合"(《二程集》)。天人同一根本、根源,天、人、万物原本就是息息相通的同一整体,都分享了天理,都具有上天生生不息的仁性。所以从万物的春意、生意中最可观解天地之仁。如同人的身体各部分之间,可以自然感通,痛痒相知,仁者能够感通到人与宇宙天地万物浑然同体,能够体认到天的生生之仁德,从而能够把万物看成与自己息息相关的存在,泛爱世间万物。

如果人不能感受到天人合一,不能感通"与天地万物一体",就是迷失了自身的天理,也就是麻痹不仁。

> 医书言手足痿痹为不仁,此言最善名状。仁者,以天地万物为一体,莫非己也。认得为己,何所不至?若不有诸己,自不与己相干。如手足不仁,气已不贯,皆不属己。故"博施济众",乃圣人之功用。仁至难言,故止曰"己欲立而立人,己欲达而达人,能近取譬,可谓仁之方也已。"欲令如是观仁,可以得仁之体。(《二程集》)

中医上说的麻痹不仁,是人身体自我的感通不畅。相反,仁就是自己对自我的体认。天生宇宙万物,天与人、与万物本是一体,所以只有能体认、感通得到天地万物一体才可称之为仁者。"博施济众"被认为是"仁"的功用,而"仁"的根本则在于识得天地万物一体。只有确立起"仁"的宇宙观,那么"博施济众"就是自然而然的行为。程颢说:"天者,理也。"

（《河南程氏遗书》卷十一）天生人与万物，而人和万物也就分享了天理，人类社会仁德的依据也在于天理，是对天生人与万物的仁德模仿。人人都生而完具此天理和仁心，无少欠缺。因为天理是客观的、普遍的、超越的，所以仁也是客观的、普遍的，不为尧善而存，不为桀恶而亡，没有穷已，亘古至今都在起作用。"识仁"就是仁者体悟、觉解天理、人道，使得仁者达到"浑然与万物同体"的一种境界。可见程颢比董仲舒更深入地探讨了仁的天道宇宙观。

同程颢一样，程颐也以天生成万物的天理说明仁，但多从心性角度论述。程颐将天的仁心比作谷种，"心譬如谷种，生之性便是仁也"（《河南程氏遗书》卷十八）"心犹种焉，其生之德，是为仁也"（《河南程氏粹言》卷一）。仁就是天地生万物的心性和品德。天有仁心，所以万物才能够生生不息。

朱子更是常用天的生意、春意说明仁。天地的心性，即理，理却不能直接看见，但可以通过气化流行的运动来察看，所以天地永不停息地生成万物是天地之理，是天地之仁德。

> 人之所以为人，其理则天地之理，其气则天地之气。理无迹，不可见，故于气观之。要识仁之意思，是一个浑然温和之气，其气则天地阳春之气，其理则天地生物之心。（《朱子语类》卷六）
>
> 天地之心，只是个生。凡物皆是生，方有此物。如草木之萌芽，枝叶条干，皆是生方有之。人物所以生生不穷者，以其生也。才不生，便干枯杀了。这个是统论一个仁之体。（《朱子语类》卷一百五十）
>
> 且看春间天地发生，蔼然和气，如草木萌芽，初间仅一针许，少间渐渐生长，以至枝叶花实，变化万状，便可见他生生之意。非仁爱，何以如此？缘他本原处有个仁

> 爱温和之理如此,所以发之于用,自然慈祥恻隐。(《朱子语类》卷十七)

因为生生不已是仁,万物的生长起始于春季,春季最能体现生生之意,"春本温和,故能生物,所以说仁为春"(《朱子语类》卷六)。再加上春能包容春夏秋冬,仁能囊括仁义礼智,因此朱子提倡从春天的盎然生机中去体会天地生生之仁德。

朱子还特意将天心与人心整合在一起,以天生万物之心说明人"温然爱人利物之心",意在强调人应当拥有仁民爱物的人道精神。他说:

> 发明"心"字,曰:一言以蔽之曰"生"而已。"天地之大德曰生",人受天地之气而生,故此心必仁,仁则生矣。(《朱子语类》卷五)
>
> 天地生物之心是仁,人之禀赋,接得此天地之心,方能有生。故恻隐之心在人,亦为生道也。(《朱子语类》卷九十五)
>
> 天地以生物为心者也,故语心之德,虽其总摄贯通,无所不备,然一言以蔽之,则曰仁而已矣。……此心何心也?在天地则块然生物之心,在人则温然爱人利物之心。(《朱文公文集》卷六十七)

天地之心在于生成万物,生生之德称之为仁;人和万物都受天地之气所化生,也必然禀赋天地之心,生生之仁德,因此说"心必仁,仁则生"。"如谷种、桃仁、杏仁之类,种着便生,不是死物,所以名之曰'仁',见得都是生意。"(《朱子语类》卷六)生意味着仁,天地之心在于生万物,天地之理必然为仁,人类的心性必然也该为仁。

　　总之，程朱采取体用、性情、已发未发等分析方法，廓清了孔孟许多笼统、模糊的范畴关系，强化了仁在中华道德体系中的核心地位，探索了仁德信仰的天理依据，改造了以往的仁学体系，极大地促进了仁学理论的发展。

仁德概说

　　远古就有"仁"这一道德与价值观念,"仁"由最初的日常家庭生活体验而来,其内涵从孔子的新创开始,历经孟子的诠释,董仲舒的发挥,程朱的改造,从个人直观感性的道德情感,到社会普遍的价值准则,再到宇宙客观的存在本体,构成了仁学思想发展史的主线。"仁"成为中华道德体系的最高道德准则,在"四基德"中处于核心位置,是中华传统道德体系的魂魄。

一、仁德是对人际关系的反思

　　有关"仁"的思想及其发展,是同中国传统生活与人际交往相一致的。中国古代特定的农业文化,注定了无比重视家庭作为生产组织单位的稳定性,最初的"仁"顺理成章地指向了血缘亲情。而家庭中男性的父子、兄弟是社会最主要的劳动力,因此,慈孝与弟悌成为传统道德重要的价值观念,正所谓"孝弟也者,其为仁之本与"(《论语·学而》)。孔子创造性地将爱亲之仁拓展为爱人之仁,而孟子又从理论上论证了仁爱的心性论依据。"国"被看作是放大了的"家","四海之内皆兄弟"(《论语·颜渊》),"四海之内若一家"(《荀子·王制》)。"仁"从"爱亲"被拓展为"爱人"、"泛爱众"、"老吾老,以及人之老,幼吾幼,以及人之幼"(《孟子·梁惠王上》)的"仁民",乃至"中国一人,天下一家",这都是对社会交往实践的深刻反思。

　　为了强化仁爱的道德哲学依据,汉代董仲舒以天道释仁,程朱以天理言仁,他们对以往仁学作出了重大的改造,将仁抬到无上高度,仁爱已经超越了爱人的同类,更表现为对天下万物的爱,如董仲舒说:"质于爱民以下,至于鸟兽昆虫莫不爱,不爱,奚足谓仁。"(《春秋繁露·仁义法》)程颢则认为:"仁者以天地万物为一体,莫非己也。"(《河南程氏遗书》卷二上)朱子最终完成了仁的人道精神到仁的宇宙精神提升,充分揭示了仁的生命意义和终极信仰,确立了仁学本体论。仁德作为对人际关系的反思,从此以完整的仁学理论体系面目出现,发挥着极其重要的道德价值。

二、仁德是对施政治民的规范

就国家社会而言,仁德意味着一种政治模式的理想追求。孔子始创儒家,源于春秋战国社会变革的反思,起因于传统社会礼制危机的解答。面对礼崩乐坏,各种"有其名而无其实",孔子发出了"觚不觚,觚哉!觚哉!"(《论语·雍也》)的慨叹。孔子曾经梦想实际参与政治,能够通过"正名",实现社会礼治秩序的复归,但最后还是通过创立仁学和实施平民教育的方式,成功倡导了德治的社会政治理想。孔子说:"为政以德,譬如北辰,居其所而众星共之。"(《论语·为政》)执政者必须自身有德,才能以身作则,树立起榜样,"子帅以正,孰敢不正?"(《论语·颜渊》)他又说:"道之以德,齐之以礼,有耻且格。"(《论语·为政》)主张通过教化培养人们的道德,凭借道德力量感化社会。

孔子的德治思想被孟子继承,孟子指出夏、商、西周"三代之得天下也以仁,其失天下也以不仁"(《孟子·离娄上》),他还提出:"君仁莫不仁,君义莫不义,君正莫不正;一正君而国定矣。"(《孟子·离娄上》)孟子极力主张"以德行仁者王"(《孟子·公孙丑上》)的王道"仁政"观点。孟子从心性论出发,以"四端"说解决了仁的来源和根据,从而为"仁政"学说打下了坚实的政治伦理基础。因此,朱熹充分肯定了孟子在儒学基础理论建设上的巨大贡献:"孟子发明四端,乃孔子所未发。人只道孟子有辟杨、墨之功,殊不知他就仁心上发明大功如此。看来此说那时若行,杨、墨亦不攻而自退。辟杨、墨是捍边境之功,发明四端是安社稷之功。"(《朱子语类》卷五十三)此后历代有关施政治民的理念,都是以仁德的政治伦理为依据的。

三、仁德是对人格高标的确立

儒家的"仁"被看作是人的本质特征,人应然是仁者。如"仁者人也"(《礼记·表记》),"仁者,人也,亲亲为大"(《礼记·中庸》),"仁也者,人也"(《孟子·尽心下》)。同时,"仁"又被视为道德修养,一种人们应该通过道德内化而培养形成的为人准则。只有符合仁的素养才是君子,仁是君子作为的源泉和归宿。孔子揭示的"仁"不需要任何宗教神学的外衣,人走向道德精神的自觉,直接彰显个体的自我主体性,树立了自我人格完善的高标准,意味着人类思想史的进步。孟子将人的生理欲望与道德理想区分开来,将人先天赋有的道德理想界定为"人性",从而此种"人性"必然是向善求善。孟子说:"人之所以异于禽兽者几希,庶民去之,君子存之。"(《孟子·离娄下》)"君子所以异于人者,以其存心也。君子以仁存心,以礼存心。"(《孟子·离娄下》)道德理想正是人区别于动物,君子能保持和发展,而小人却会失去的"赤子之心"(《孟子·离娄下》)、"本心"(《孟子·告子上》)。孟子以心言性,性在心中,心性同一。仁德来源于个体的善心、善性,是个体人格产生的重要源泉。

仁德是君子人格所以具有的特质。"君子所性,仁、义、礼、智根于心"(《孟子·尽心上》)，这个"心"则是天赋人性使然。"恻隐之心，仁之端也；羞恶之心，义之端也；辞让之心，礼之端也；是非之心，智之端也。人之有是四端也，犹其有四体也。"(《孟子·公孙丑上》)孟子把道德意识本身(仁、义、礼、智)和道德意识的萌芽(仁、义、礼、智之端)明确区分开来，确认了道德意识的源头在人的心性之中。人心能发展出"仁、义、礼、智"这四种人类基本道德意识的萌芽，但生活中并不是所有人都能成为道德高尚的君子，这是因为人被名利地位等"人爵"所迷惑，或是生理欲望的"小体"所蒙蔽。因此，人有善端，只是君子的必要前提条件，不是充分条件，不会使人人自动成为有德性之人。人要提升道德意识关键在于后天尽心知性，在于体验和发扬光大人内在的道德意识的萌芽。孟子强调培养道德意识和情感，是每个人都能做到的，所谓"为仁不难"。

综上所述，孔子在"礼坏乐崩"、"天下无道"的时代，新创了仁学，奠定了儒家学说的理论基础，开创以仁为核心的道德文化。但孔子并未穷尽仁学的全部内容。孔子之后历代儒者面对不同的社会历史要求，在同各种思想的论辩中，不断深化对仁的诠释、发挥和改造，仁学的一些基本原则和理念不断得到确认和强化，形成了集伦理、政治、哲学和宗教信仰为一体，内涵非常丰富而完备的仁学思想体系，构成了中华道德精神的魂魄。仁的理念，不仅仅是"爱亲"、"爱人"的道德原则，向善行善的心性实践，还包括内圣外王的德治仁政，更包含以天命、天道、天理为内容的价值信仰。在中国文化史中，"仁"的提出是对人类本质的发现，"仁"蕴涵了人类同世界交往的终极价值和终极关怀。在当今世界各种文化相互碰撞与交流情形下，儒家的仁学思想体系作为人类共同的伦理道德基础，对人类文明的共同和持续发展具有特别的意义。

原典选读

仁爱精神警言典例

1. 伤人乎？不问马

【原文】厩焚。子退朝，曰："伤人乎？"不问马。（《论语·乡党》）

【诠解】"伤人乎？不问马。"这是中国古代很著名的一个伦理学命题。要解说这一命题，得从春秋末期鲁国发生的一场火灾说起。

黎明前时分，突然一声刺耳的呼喊刺破了宁静的长夜："马厩着火了，着火了！"于是，凄厉的呼喊声、杂沓的脚步声、马嘶声……乱作一团。过了好久，这一切才归于平静。几个时辰后，主人回到家，马上有人向他报告："今天马厩失火了，火势还不小。"主人立马问道："伤着人没有？"他并没有问到马。这位主人，就是我国文化史上大名鼎鼎的教育家、思想家孔子。火灾过后他的态度，就是他对上述命题的最好解答。

在孔子看来，牛马与人相比，人是最宝贵的。这是由于牛马作为与人相对的自然存在物，只具有外在的价值，它主要表现为一种工具和手段；唯有人才具有内在价值，其表现为人本身即是目的。所以我们称孔子创立的仁学是东方人道主义。后来，孟子由仁学引出"仁政"，要求执政者以德行仁，反对以暴力压人，也正是从这种人道原则出发的。荀子指出："水火有气而无生，草木有生而无知，禽兽有知而无义；人有气、有生、有知，亦且有义，故最为天下贵也。"（《荀子·

王制》)这即是说,人之为人,主要并不在于具有某些自然禀赋,而在于通过自然禀赋的人化过程而形成的道德意识与认知思想,终于使人超越一般的自然物,而具有最高的价值。汉儒董仲舒一再强调"人下长万物,上参天地"、"最为天下贵"(《春秋繁露·天地阴阳》)。在他看来,人处于价值关怀的中心。东汉王充在《论衡》中屡屡称道:"人则物之最贵者也","人在天地之间,万物之贵者耳","天地之性,唯人为贵"。

这些论述传达的都是同一个声音:人是最宝贵的,必须以人为本。

2. 孝道与仁道

【原文】子游问孝,子曰:"今之孝者,是谓能养。至于犬马,皆能有养;不敬,何以别乎?"(《论语·为政》)

爱亲者不敢恶于人,敬亲者不敢慢于人。(《孝经·天子章》)

父慈子孝,兄友弟恭,纵做到极处,俱是合当如是,著不得一毫感激的念头;如施者任德,受者怀恩,便是路人,便成市道矣。(明·洪应明《菜根谭》)

【诠解】这里引述的几句话,谈的都是家庭伦理。儒家仁学思想是以孝道为起点的,所谓"孝悌为仁之本"。一个人有没有仁爱之心,先考察他对父母的态度。一个后生小子在家庭中生,在家庭中长,父母亲养育他、扶持他,是他的第一任老师,帮助他成长,甚至促其成家立业,不辞劳苦,不遗余力,在这种情况下如果做子女者对父母不讲孝道,没有敬意,还能指望他在社会爱他人吗?

孔子讲孝道,大体分为三个层次,即养亲、敬亲和顺亲。养亲即赡养父母,这是为人子女最起码的义务与家庭责任

（也是今日法律规定的底线）。顺从父母的意愿，据说这一条是最难事事做到的。对于孝道的三个层次，可以做一个具体分析：关于养亲，赡养父母是为人子女者的道德义务和法律责任，父母的衣食住行是每一个子女责无旁贷的本分，也是子女对父母应尽的回报。关于顺亲，可以分几种情况，亲子之间遇到问题有共识的，无疑要尊重父母的教诲和意愿；在非原则问题面前亦可按父母意愿行事。亲子之间遇有分歧的，要加强沟通，彼此商量，做子女的文化水平、社会阅历比父母还要高，在这种情况下更要阐明事实，说清道理，争取父母的理解和认同。关于敬亲，即对父母亲切的态度，温和的言辞，表现了为人子女者的素质、学养和智慧，永远都是应该不断学习进步的。孔子重视敬亲，是很有道理的。

一个人在家庭中讲究尊敬父母，把这种修养推之于处理人际关系，推之于处理社会问题，也必然是善于待人接物，善解人意，讲信修睦，受人爱戴的，他的行事有人和扶持，他的事业必定发达。反之，在家里霸道，在外是魔鬼，何谈事业顺遂？

家庭成员之间的和谐相处，如父慈子孝、兄友弟恭、夫妇和顺，以及彼此的奉献，都是出自天然的、血浓于水的真情，也出自相互勉励的良好修养，这是最宝贵的感情，人们都应该珍视它、喜爱它、发扬它，让美好的家庭环境成为自己幸福的港湾。

3."古仁人"的精神境界

【原文】嗟夫！予尝求古仁人之心，或异二者之为，何哉？不以物喜，不以己悲；居庙堂之高，则忧其民；处江湖之远，则忧其君。是进亦忧，退亦忧。然则何时而乐耶？其必曰"先天下之忧而忧，后天下之乐而乐"乎？噫！微斯人，吾谁与

归?（范仲淹《岳阳楼记》）

【诠解】这是脍炙人口、千古流传的一段古文,它的作者就是北宋大文学家、大政治家范仲淹。谈起范仲淹,小时候可算是一个苦孩子,两岁丧父,母亲不得不带着他改嫁,青年时在寺庙僧舍苦读,艰辛度日,异乎常人。正由于这种备尝艰辛的经历,使他能够体验和同情人民的疾苦,步入青年时代,便"以天下家国为己任",登进士第,进入官场以后产生改革弊政的愿望,后来成为"庆历新政"的中坚人物。

然而改革的进程是波折不断的,范仲淹和他的新政同仁也不断遭到朝廷和地方保守势力的百般攻击而遭到贬谪,出知邓州任上,应同样遭贬的同道好友滕子京之命而写的《岳阳楼记》。既用以勉励自己,又用以劝慰同道。

就思想内容来说,这篇作品所表现的基本上是儒家的仁政观念。"居庙堂之高,则忧其民",这是说,在朝廷里做官,就应该关怀民间疾苦;"处江湖之远,则忧其君",这是说,即使没有做官,或者做官而被贬到边远地区,也不应该忘记皇帝,而要关怀他能不能做"仁君"、能不能行"仁政"。非常明显,作者是既考虑人民的利益,又考虑国家利益的。既然如此,他所说的"先天下之忧而忧",主要是"忧"小人专权、政治腐败,人民痛苦不堪,必将起而反抗;"后天下之乐而乐",是"乐""仁政"施行,阶级矛盾和民族矛盾缓和,社会秩序得到稳定。现在当我们用这两句话来说明共产党员和先进人物的优秀品质的时候,已经赋予了新的内容,这是不言而喻的。

4.“为政以德,勿行苛政”

【原文】为政以德,譬如北辰,居其所而众星共之。（《论语·为政》）

孔子过泰山侧,有妇人哭于墓者而哀,夫子式而听之。

使子路问之曰:"子之哭也,壹似重有忧者。"而曰:"然。昔者吾舅死于虎,吾夫又死焉,今吾子又死焉。"夫子曰:"何为不去也?"曰:"无苛政。"夫子曰:"小子识之,苛政猛于虎也。"(《礼记·檀弓下》)

【诠释】孔子主张以德治国,提出了德政概念,这一概念后来被孟子发展成仁政学说。孔子形象地说:以道德来治国,治国者便会像北极星一般,自己在一定的位置上,别的星辰都环绕着它,拱卫着它。意即:以道德人心治天下,才能博得人民的真心拥戴。然而《礼记·檀弓下》记述的故事却说明,统治者为了穷奢极欲的生活,常常实施苛政、暴政、虐政,置人民于无尽的苦难之中,比猛虎噬人还要凶残,所以孔子说出了"苛政猛于虎"这样控诉性的言词,是极富人民性的。一位《礼记》的注家写道:"虎之杀人,出于仓促之不免;苛政之害,虽未致死,而朝夕有愁思之苦,不如速死之为愈,此所以猛于虎也。"(陈澔《礼记集注》)

5."得道者多助,失道者寡助"

【原文】域民不以封疆之界,固国不以山谿之险,威天下不以兵革之利。得道者多助,失道者寡助。寡助之至,亲戚畔之;多助之至,天下顺之。以天下之所顺,攻亲戚之所畔;故君子有不战,战必胜矣。(《孟子·公孙丑下》)

【诠释】孟子强调为君者应当施行仁政,并做了具体的论证。他说,国君"以德"服人,获得民众的拥护,从而"得道多助","多助之至,天下归顺",而不是"以力"服人,"失道寡助","寡助之至,亲戚畔之"。只有得道多助的君主,更容易顺利度过危难,更有机会成功攻克失道寡助的敌人,才可能永立不败之地。

义：中华传统道德精神的辅翼

　　仁是理想化的道德精神追求，它要因事制宜、因时制宜、因地制宜地加以落实，它要进一步地具体化，于是中国的古圣先贤又提出了"四基德"的第二个范畴——"义"。

　　许慎在《说文解字》中说："義，己之威仪也。从我从羊。"庞朴认为，在"义"字最后演变为适宜、当然、应该之前，最早是指杀戮的心理状态，也指杀牲的祭祀行为。"義"从我从羊，"我"就是游牧生活社会指代手拿刀具、从事游牧渔猎的自己；"羊"则是头戴羽毛的威武样式，因此义是"己之威仪也。从我从羊"。段玉裁在《说文解字注》中谈到："义之本训谓礼容各得其宜，礼容得宜则善矣。""义"字在古代通用"宜"字。"宜"字与"刀俎"的"俎"字根相同，都有杀戮的刀板。周公记录："国有大故、天灾，弥祀社稷，祷祠。大师，宜于社。"（《周礼·春官宗伯第三·大卜/诅祝》）国家出现天灾变故，大祭司在土地神庙前宰杀牛、羊、猪祭祀，祷告祈福。后来用"義"代替"宜"字，表示当杀则杀，不当杀则不杀，引出了当与不当的含义，如大义灭亲、见义勇为中的"义"就是这种用法。《礼记·丧服》："门内之治，恩掩义；门外之治，义断恩。"血缘、部族之内的行为准则是"仁"，血缘、部族之外的行为适宜就是"义"。孔孟对"仁"和"义"做了改造和提升，强调了"仁"不只是要爱亲，还要爱人，"义"不只是评判他人，也是约束自己，特别是强调了仁义的协调和统一。因此，义字最终演变为在日常生活实践中处理人我关系时取得恰当适宜的度量与法则，"义"意味着适宜、应当、正义、公平、情谊等含义。

假使人怀有仁爱之心，在面对各种纷繁复杂的不同情况时，应该如何采取不同的行为应对才是适宜？由于义的基本含义是适宜与应该，适宜与否在于两件事情的相互关系和特定情境，适宜于这个，未必适宜于那个，那时应该，此时未必应该。如同好马能日行千里，适合用来远行，拿来抓老鼠必定一无所获。再如以勇救人于水火是为善，而勇于劫人财物则是为恶。可见行为的初衷、对象、时机、条件、途径、效果等情景，都需要进行辨别分析，找出其中相对的确定性和不变的准则，从而指导价值判断和行动选择，以求获得内心安宁和社会安乐，就是在确立仁德理念之后，需要具体寻求的"义"。

中华文化和传统道德高度崇尚义德。

我们常说的话语中有很多带"义"的词语,如道义、仁义、正义、大义、公义、节义、侠义、仗义、义气、义士、义勇、义举、义务,以及大义凛然、义无反顾、义薄云天、道义之交、舍生取义等等。在有关义德的思想资源中,古人多半习惯将义与仁、义与利放在一起思考,探求实践合于义的方式、途径。从主观的仁心本意,到能动的义行义举,再到客观的功利结果,三者构成了为人处事的三个环节,因此,仁义之道和义利之辨是中国传统伦理学的最重要内容。就整体而言,儒家注重以义辅仁,要求见利思义,唯义是从;墨家关注天下大义,以人民之利为义,主张义利合一。

以义辅仁,"见利思义":儒家的义德观

儒家从情感生活、社会治理、宇宙天道等各个层次,确立了"仁"的道德理想之后,进一步用"义"这一范畴具体落实"仁"的理念,儒家因而常常喜欢连用"仁义"二字,体现仁义并举、以义辅仁的理论特点。围绕"义"与"仁"的关系,儒家又引申出"义"与"利"的关系,在"见利思义"这一最基本的态度下,众多儒家人物的义利观略有不同,但总体而言,他们都高举义德旗帜,建构了丰富的义德理论体系。

一、孔子:"见利思义"

孔子贵仁,仁是一种理想化的理念,而仁在实际生活中的具体应用则是义。孔子通过论述义与仁、君子、利、勇等范畴的关系,从多个角度阐释了义的含义、义的价值、义利分辨

等问题。

1. "行义以达其道"

关于义与仁的关系。义是行动的裁制,即通往仁的行为正当性,义的标准是仁道。孔子一方面强调了义与仁的一致性,义经常和仁搭配使用,称为"仁义"。他反对"群居终日,言不及义"(《论语·卫灵公》),认为仁与义是为人处世的两方面。不论是孟子的"四基德",还是董子的"五常德",都可以简化为"仁义"。孔子要求遵守仁义的要求,实现民众的"富而后教"(《论语·子路》),认为实现了民众的富有,才能防止饥寒起盗心;实行了仁义教化,才能防止富裕之后饱暖思淫欲。

另一方面孔子主张仁相对于义,具有优先性。"行义以达其道"(《论语·季氏》),孔子所指的道就是仁道,义在于行仁道。仁是儒家核心范畴,为最高的理想准则,义则是现实的仁道要求,具体实践的标准,受制于仁。《周易·说卦》记载:"立天之道曰阴与阳,立地之道曰柔与刚,立人之道曰仁与义。"天的运行规律是由阴与阳组成,地的存在规律是由刚与柔组成,人的行为规律是由仁与义组成。天与地、阴与阳、刚与柔是相对的关系,仁与义也存在相对的关系。从本源上看,仁有关于爱,义有关于杀;仁偏重血缘内部,义侧重血缘外部;仁是血缘的,义是社会的;仁是情感的,义是理性的;仁是慈祥的、柔软的,义是严厉的、约束的。所谓"仁义",就是适宜的爱,柔中带刚,刚中有柔。仁义意味着不偏不倚,既不偏于苛刻,使人手足无措;也不偏于放纵,胡作非为。但是当仁与义发生冲突时,孔子认为应当以仁为第一位,"父为子隐,子为父隐"(《论语·子路》)。程颢看见蝎子,感到杀死蝎子有违仁心,放走蝎子有害义理,但最后还是以仁为大,义为小,选择放走蝎子。这都是儒家对待仁与义的基本态度。

2. "君子义以为质"

义是君子品质，是高尚人格。孔子是最早将义与君子品格搭配在一起考察的人。君子和小人早在《诗经》和《尚书》中就有，原本是就人的社会地位而言，君子是士大夫以上的阶层。君子和小人虽不是孔子所创，却为孔子所改造，用"仁"、"义"、"道"等道德范畴来标示君子和小人的区别，意在强调人的品格层次。如孔子说："君子固穷，小人穷，斯滥矣。"（《论语·卫灵公》）君子虽然也有穷困潦倒的时候，但能坚守道义操守，但小人穷困了，便放滥横行了。孔子所论的君子，主要是依据德性来说的。孔子原本希望树立一个君子的阶层（大概相当于后世的士人阶层），让他们主导社会，走向秩序井然的安乐社会。

孔子重义，大量地用"义"来说明君子的品格和作风。"君子义以为质，礼以行之，孙（逊）以出之，信以成之。君子哉！"（《论语·卫灵公》）以义作为品格要求，按照礼的方式去做，用谦逊的言语来传达，以诚信的态度去实现，就是君子了。孔子又说："君子之于天下也，无适也，无莫也，义之与比。"（《论语·里仁》）君子对天下之事，无可无不可，没有一个不变的主张，也没有必定的反对，一切只求合于义便可。"君子之仕也，行其义也。道之不行，已知之矣。"（《论语·微子》）君子出仕做官，也只是尽他的义务罢了。至于道行不通，早已知晓了。从中可见，义是由君子内在德性决定的品格和行为方式。

3. 君子"见利思义"

关于义与利。孔子尚义，君子做事，无所必从，唯独以义为标准，警惕片面以义行的结果来判断行义，要求"见利思义"（《论语·宪问》），但孔子对利做了恰当的区分，并不反对追求合乎义的正利。在孔子看来，义与利不是两不相容的，将利分成了两类,分别对待:合于义的正利,要努力追求;不合于义的邪利,就应该放弃。孔子从没有教人见了利就掉头不顾、连义与不义都不屑于考虑、一概地鄙视功利。所谓"君子喻于义,小人喻于利"(《论语·里仁》),只是就内在的价值标准而言,对君子与小人的人格品质的判断:君子重义,行为的初衷和途径当然不会优先考虑利与不利。若是义且利,定然会努力去做;若是义而不利,同样不会怠慢,并不是君子只要义,不要正利,非要去掉正利,才算是保全了义。小人则是重利,行为的初衷只有利,没有义,行动的手段也不考虑义与非义,只考虑结果有利,唯利是图,孜孜以求。

　　孔子倡导义是我们价值选择的标准,是行动的指南,但他并不完全"非利"。对合于义的利,孔子主张积极鼓励去做。"富而可求也,虽执鞭之士,吾亦为之"(《论语·述而》),富有如果可以求得,就是做执鞭这样的贱职,孔子也愿意去做,前提是必须"义然后取"(《论语·宪问》),用义来取舍利。

　　　　子张曰:"何谓惠而不费?"子曰:"因民之所利而利之,斯不亦惠而不费乎?"(《论语·尧曰》)

尊重百姓的正当利益,主动提供帮助,鼓励百姓积极去做,就做到了"惠而不费"。这里的"利"完全是正面的,合于"义"的,从这个对话中孔子的态度可见一斑。对不合于义的利,孔子坚决鄙弃:

　　　　放于利而行,多怨。(《论语·里仁》)
　　　　饭疏食饮水,曲肱而枕之,乐亦在其中矣。不义而富且贵,于我如浮云。(《论语·述而》)
　　　　富与贵是人之所欲也,不以其道得之,不处也;贫与

贱是人之所恶也,不以其道得之,不去也。(《论语·里
仁》)

一切依照利的目的来行事,人的心理便容易产生众多的怨
恨。如果生活不以财利计较,即便是吃着粗饭,喝着白水,弯
着胳膊当枕头,照样可以获得安乐。不义而来的富贵,对孔
子来说,就像高高的天际浮云,与他毫无关系。就富贵本身
而言,富贵没有什么不好,都是人人所希望获得的,但如果以
不义之道取得,君子不会安享这种富贵。同样,贫贱是人人
所不喜欢的,如果用不正当的方式摆脱,君子是不会违背仁
义这么做的。

总之,孔子对义德的论述,确立了仁是理想化的理念,义
是在现实仁道的辅助,为后世儒家阐释义德奠定了大的
框架。

二、孟子:"惟义所在"

孟子继承孔子的仁学思想,但不是为了强调"礼",而是
要突出"义"。在《孟子》一书中,"义"字出现有 101 次之多,
可见孟子非常看重"义"。关于义,孟子由仁而义,仁义并举,
突出了义的地位,提出了"居仁由义"的仁义观,解答了爱有
差等,详细论证了仁与义的统一;同时要求"去利怀义",甚至
"舍生而取义",通过集义来培养浩然之气。孟子在这些方面
的创见,为儒家在诸子论战中取得胜利,做出了重大的贡献,
也极大地丰富和完善了中国传统道德体系。

1. "居仁由义"

首先,关于义的含义和重要性。在孟子看来,仁的基本
义是"亲亲",即"事亲"、"尊亲"、"爱亲",而"仁者爱人"(《孟

子·离娄下》)是"亲亲"的延伸和扩大。义的基本义是尊敬长者，是处理亲子之外长幼、高低关系的道德原则。

> 亲亲，仁也；敬长，义也。（《孟子·尽心上》）

"义"的延伸义，就是用应当不应当来衡量自己的行为，爱所当爱，恶所当恶，对"非义"之举，要有羞耻感和憎恶感，所以说"羞恶之心，义之端也"（《孟子·公孙丑上》）。孟子强调了"义"对于行为的正当性。"大人者，言不必信，行不必果，惟义所在。"（《孟子·离娄》）对一个人的判断并不完全取决于是否信守诺言，行为是否果断，唯有合符义才是最终标准。所以孟子说："非礼之礼，非义之义，大人弗为。"（《孟子·离娄》）

孟子非常推崇"义"，要求"尊德乐义"，甚至"舍生而取义"。他认为"义"是君臣和普通个人立身处世的基本准则，是国家和社会有秩序的道德基础。

> 尊德乐义，则可以嚣嚣矣。故士穷不失义，达不离道。穷不失义，故士得己焉；达不离道，故民不失望焉。（《孟子·尽心上》）
>
> 朝不信道，工不信度，君子犯义，小人犯刑，国之所存者幸也。（《孟子·离娄上》）

义和道、度、刑一样，都是通行的行为准则，一个没有准则的国家是不可能存在下去的。义是裁判一切是非的标准，对于个人来说，人应该"穷不失义，达不离道"（《孟子·尽心上》）。虽然生命是人最宝贵的东西，但在大是大非面前，人不能苟且偷生，要以国家民族大义为行动取舍标准。

譬如君臣之间，就要求像兄弟一样，做到"君臣有义"，君臣各尽其道。

> 事君无义，进退无礼，言则非先王之道者，犹沓沓也。故曰：责难于君谓之恭，陈善闭邪谓之敬，吾君不能谓之贼。（《孟子·离娄上》）

君臣之道就是君臣之义，这种"义"不是愚忠，不是惟命是从，而是敢于劝导君主为仁行善，这叫做恭与敬。相反，违背道义，不向君主进谏，叫做贼。如果君主不行仁义，又拒绝谏言，那么臣子诛杀这样的暴君，只是为民除害，不叫弑君，而是完全正当的。

> 贼仁者谓之贼，贼义者谓之残，残贼之人谓之一夫。闻诛一夫纣矣，未闻弑君也。（《孟子·梁惠王下》）
> 君之视臣如手足，则臣视君如腹心；君之视臣如犬马，则臣视君如国人；君之视臣如土芥，则臣视君如寇雠。（《孟子·离娄下》）

可见，臣有做臣的仁义要求，君也同样有仁义的约束，义对于君臣都是有效的，"欲为君尽君道，欲为臣尽臣道"（《孟子·离娄上》），君臣之间必须有义。

其次，论述仁与义的关系。孔子注重"仁"，孟子侧重"义"。孟子用居所和道路比喻仁和义，"仁"是一种原则和理念，"义"是有所取舍，有所作为，以达到"仁"。孟子提出了"居仁由义"的仁义观。孟子的仁义观超越墨子无差等的"兼爱"，完美地解决了有差等的仁爱与道义统一问题。

孟子说："仁，人心也；义，人路也。"（《孟子·告子上》）又说:"仁,人之安宅也;义,人之正路也。"(《孟子·离娄上》)仁是人的爱人之心,就像精神的居所;义是由仁爱所发的正当的行为方式,就像人从精神的居所出发,分辨正确道路的指南。

> 人皆有所不忍,达之于其所忍,仁也。人皆有所不为,达之于其所为,义也。人能充无欲害人之心,而仁不可胜用也。人能充无穿逾之心,而义不可胜用也。人能充无受尔、汝之实,无所往而不为义也。士未可以言而言,是以言餂之也;可以言而不言,是以不言餂之也,是皆穿逾之类也。(《孟子·尽心上》)

仁是静态的,是人心必须居而勿失的善良本心。义是动态的,是依据仁心发出的,对当爱则爱,当恶则恶的行动方式。人必须有善心,即仁。但人光有善心和仁爱还不够,因为爱人之心只懂得施人以爱。人还应该要懂得有所为,有所不为,那就必须要有能够分辨善恶、远近、亲疏的行动指南——"义"。

孔子说"唯仁者能好人能恶人"(《孔子·里仁》),但是孔子的这一观点没有在理论上做明确的说明,特别是"好人"与"恶人"的行动准则是什么。而墨子更是故意地抹杀了爱人的界限,将"仁"的精神从孔子的"爱人"无限放大,达到没有差别和分辨地"爱一切人"的"兼爱",从而走向了极端。孟子正是要通过仁义并举,突出有具体性的现实化的"义",完善孔子的"仁爱",修正墨子的"兼爱"。孟子之所以提出"义",不是为了简单地落实爱,而是用"义"来规定"爱人"的界限,用"义"来区别人我行为的应当与不应当,明确爱所当爱,恶所当恶。因此,孟子的"仁"是人之为人内在心性不变的总原则，"义"则是仁者在现实生活中爱人所应遵循的准则。这正是孟子以居所和道路比喻仁和义的用心所在，正是孟子所说的"居仁由义"（《孟子·尽心上》）。由此孟子以义辅仁，完善了儒家的仁学，实现了仁与义的统一。

孟子的"居仁由义"，以义辅仁，构建了一个爱有差等的社会秩序，使仁爱更具有现实性和合理性，克服了墨子"兼爱"的空想色彩。孟子以"仁义"并称的方式，构建了"亲亲而仁民，仁民而爱物"的秩序：

> 孟子曰：君子之于物也，爱之而弗仁；于民也，仁之而弗亲。亲亲而仁民，仁民而爱物。
>
> 孟子曰：知者无不知也，当务之为急。仁者无不爱也，急亲贤之为务。尧、舜之知而不遍物，急先务也。尧、舜之仁不遍爱人，急亲贤也。（《孟子·尽心上》）

在这一秩序中，"爱人"是"亲亲"的延伸和扩大，以"亲亲"为本位，体现家族血缘关系的基础性；"爱人"又不局限在血缘关系之内，能够推而广之，"老吾老，以及人之老；幼吾幼，以及人之幼"（《孟子·梁惠王上》），以至于对物都要爱惜。孟子既肯定了"仁者无不爱也"，又明确了"亲亲"、"仁民"、"爱物"的轻重缓急秩序，即爱有差等原则。而墨子的"兼爱"要突破家族血缘关系，无差等地爱一切人，毫不利己，专门利人。孟子极力评判墨子的"兼爱"过于理想化，违背最基本的人伦常理，儒家因而在同墨家的论战中获得压倒性优势。

2. "怀义""去利"

关于义与利。如果说孔子还是坚持义利兼顾的话，那么孟子则提出了"去利怀义"的义利观。孟子说：

> 鸡鸣而起,孳孳为善者,舜之徒也。鸡鸣而起,孳孳
> 为利者,跖之徒也。欲知舜与跖之分,无他,利与善之间
> 也。(《孟子·尽心上》)

在孟子看来,君子之为君子,善之为善,在于"为义";小人之
为小人,恶之为恶,在于"求利"。利益与善义两者是对立的,
不可调和的。利是矛盾的,是单向的,讲利必然会带来纠纷,
引起混乱。义则是确定的,是整体的均衡和公平,因而能给
国家带来和谐。孟子和梁惠王、宋牼等人,特意讨论了义与
利的取舍、优先问题:

> 王何必曰利?亦有仁义而已矣。王曰"何以利吾
> 国"?大夫曰"何以利吾家"?士庶人曰"何以利吾身"?
> 上下交征利而国危矣。万乘之国弑其君者,必千乘之
> 家;千乘之国弑其君者,必百乘之家。万取千焉,千取百
> 焉,不为不多矣。苟为后义而先利,不夺不餍。未有仁
> 而遗其亲者也,未有义而后其君者也。王亦曰仁义而已
> 矣,何必曰利?(《孟子·梁惠王上》)
> 为人臣者怀仁义以事其君,为人子者怀仁义以事其
> 父,为人弟者怀仁义以事其兄,是君臣、父子、兄弟去利,
> 怀仁义以相接也。然而不王者,未之有也。何必曰利?
> (《孟子·告子下》)

如果把利放在第一位,"后义而先利",君王、卿大夫和士人庶
民都只讲利,那么必然会导致相互之间的利益冲突,不夺得
王位不满足,最后弑君就难以阻止。如果"去利怀仁义",那
么天下所有的君臣、父子、兄弟,就能相互协助、相互融洽了。
孟子以鱼和熊掌比喻利和义,在义利两者不能兼得之时,要

毫不犹豫地选择义，抛弃利，甚至"舍生而取义"，这正是沿袭了孔子"杀身以成仁"的道德抉择。

3. "集义""养气"

孟子说"义"是"良贵"，是"天爵"，倡导"义"的修行。只有"修其天爵"，保持"良贵"，才能有"大丈夫"顶天立地的品格。孟子说：

> 富贵不能淫，贫贱不能移，威武不能屈。此之谓大丈夫。（《孟子·滕文公下》）

"大丈夫"的品格，能够"不为苟得"，不惧患难，是可贵的自由、独立的人格。孟子还有"配道与义"，"集义"以养"浩然之气"的修养论：

> 其为气也，至大至刚，以直养而无害，则塞于天地之间。其为气也，配义与道；无是，馁也。是集义所生者，非义袭而取之也。（《孟子·公孙丑上》）

这里所说的"浩然之气"是"正气"、"气节"、"勇气"，也是理直气壮、气壮山河的"气"，是人的道德意识所表现出来的伟大的精神气质。这种"气"无形无相，看不见，摸不着，所以说是一种"气"。"配道与义"是"浩然之气"的养成方法，即反身内修，让"义"在道德意识中日积月累地聚集。"至大至刚"是道德意识所表现出来的精神力量，是抗击一切困难的坚强意志。"塞于天地之间"是这种道德意识所达到的影响，具有大丈夫的气概和气壮山河的气场。可见，"浩然之气"不是来源于外部，而是不断汇聚内心的仁义，既不中途停止，也不急于求成，随着时间的长久推移，就能逐渐消除人我界限，做到天地万物一视同仁,达到"塞乎天地之间"的精神状态。孟子的修养论鼓舞了中华民族一代代人,像文天祥、袁崇焕、邓世昌、谭嗣同那样,秉持义重如山、持义不挠的精神,世世代代传唱出"人生自古谁无死,留取丹心照汗青"(《过零丁洋》)的不朽正气歌。

三、荀子:"以义制利"

荀子是先秦最后一位杰出的儒家大师,已经开始着手综汇百家,梳理各个道德范畴的联系,试图构建结构严谨的道德体系。他反驳了孟子的性善论,反对孟子"去利怀义"将义利对立起来的观点,提出了"以义制利"、"先义而后利"的义利统一问题,进一步完善了儒家道德学说。

1. 由仁而义而礼

关于义与仁、礼,荀子对仁、义、礼的概念、表现、作用都有论述,认为三者是相通的,义是由仁到礼的中间环节。仁、义、礼是人道由抽象到具体的不同方面。荀子说:

> 亲亲、故故、庸庸、劳劳,仁之杀也。贵贵、尊尊、贤贤、老老、长长,义之伦也。行之得其节,礼之序也。仁,爱也,故亲;义,理也,故行;礼,节也,故成。仁有里,义有门。仁,非其里而虚之,非礼也;义,非其门而由之,非义也。推恩而不理,不成仁;遂理而不敢,不成义;审节而不知,不成礼;和而不发,不成乐。故曰:仁、义、礼、乐,其致一也。君子处仁以义,然后仁也;行义以礼,然后义也;制礼反本成末,然后礼也。三者皆通,然后道也。(《荀子·大略》)

在这段文字中,荀子说"仁,爱也,故亲","仁"也是"爱人"的意思，所以能和人亲近。他说"义，理也，故行"，初始含义也是指道理的适宜、适当，所以能够贯彻实施。他说"礼，节也，故成"，是说礼是对行动的节制，所以能够成功。亲近父母亲，热忱对待老朋友，奖赏有功绩的人，慰问付出劳力的人，这是仁方面的等级差别。尊敬身份贵重的人，尊敬官爵显赫的人，尊重有德才的人，爱戴年老的人，敬重年长的人，这是义方面的伦理常规。奉行这些仁义之道能恰到好处，就是礼的秩序。荀子所谓的"贵贱有等，长幼有差，贫富轻重皆有称"（《荀子·富国》）是"义"，君臣上下各安其分的节制是礼，"所以限禁人之为恶与奸者也"（《荀子·强国》）也是义。可见，荀子认为"义"跟"礼"也有密切关系，同行为方式结合在一起。因此，荀子的仁、义、礼三者是相通的。

义是人区别于其他万物生灵，人之为人的原因，也是使人行为具有合理性的规范。荀子说：

> 水火有气而无生，草木有生而无知，禽兽有知而无义；人有气、有生、有知，亦且有义，故最为天下贵也。
> （《荀子·王制》）

水、火是自然存在，有气息（运动节奏），但没有生命和意识；草木也是自然存在，虽有生命活动，但没有自我意识；禽兽虽有知觉，但不讲道义；人有气息、有生命、有知觉，而且还讲究道义，因此人理所当然是天下最为贵重的。义是从思想意识过渡到行动落实的基本要求，是道理在生活中遵守、实施的恰当。因此义在生活中体现为忠、孝、悌、敬、让等具体的行为规范，是整个道德体系的中间环节，但最终都归结为礼，所以荀子常常连用"礼义"一词。

> 遇君则修臣下之义,遇乡则修长幼之义,遇长则修
> 子弟之义,遇友则修礼节辞让之义,遇贱而少者,则修告
> 导宽容之义。无不爱也,无不敬也,无与人争也,恢然如
> 天地之苞万物。(《荀子·非十二子》)

从"臣下之义"到"长幼之义"、"子弟之义",再从"礼节辞让之
义"到"告导宽容之义",其中所有的"爱"和"敬",都是道德在
生活里的恰当应用,都是义的直接表现。

2. "先义后利"

荀子从义与利、义与荣辱两方面的关系,阐述义的理论
和对待义的正确态度。

关于义与利。荀子基于对人的"性"、"情"、"欲"的认识,
处理义利关系时,不同于孔子的"见利思义"、孟子的"去利怀
义",提出了"以义制利"的义利观。

荀子认为人的本性都喜好"利",人有求利的欲望是性情
的必然。

> 性者,天之就也;情者,性之质也;欲者,情之应也。
> 以所欲为可得而求之,情之所必不免也;以为可而道之,
> 知所必出也。故,虽为守门,欲不可去,性之具也;虽为
> 天子,欲不可尽。(《荀子·正名》)

荀子说人的本性是天然造就的,人的情感是本性的实际内
容,人的欲望是情感对外界事物的反应。认为自己想要的东
西可以得到从而去追求它,这是情感必不能免的现象;认为
自己的欲望可以达到而努力去实现它,这是人的智慧必定会
作出的打算。所以无论是守门的人,还是尊贵的天子,都有
求利的欲望,这是去不掉的,无法禁止的。因此,人追求利益

本身是自然合理的、正当的,没有什么不对。

就个人而言,虽然趋利避害,好利恶害是人的本性使然,人可以追求利,但不能无限制追求利,因为利欲倾向于无止尽扩张,而社会财物却是有限的,利欲是不可能完全满足的。因此,人的利欲必须有所节制,才能得到近似的满足,即以礼节欲,以义制利:

> 欲虽不可尽,可以近尽也;欲虽不可去,可以求节也。所欲虽不可尽,求者犹近尽;欲虽不可去,所求不得,虑者欲节求也。道者,进则近尽,退则节求,天下莫之若也。(《荀子·正名》)
>
> 好利恶害,是君子小人之所同也;若其所以求之之道异也。(《荀子·荣辱》)
>
> 言无常信,行无常贞,唯利所在,无所不倾,若是则可唯小人矣。(《荀子·不苟》)
>
> 不学问,无正义,以富利为隆,是俗人者也。(《荀子·儒效》)

趋利避害是君子和小人相同的地方,但君子之为君子,小人之为小人,在于他们求利的道义所不同。说话经常不老实,行为经常不忠贞,只要是有利可图的地方,就没有不使他们倾倒的,像这样就可以称为小人了。重利忘义是小人俗人,君子则是先义后利,坚守道义而不屈不挠。

就国家社会而言,人类生活之所以能"群居和一",国家社会良好的秩序,都在于以义制利,先义后利。人是有道德理性的,社会正是由道德理性来维系。没有制约的利欲必然导致公众利益受损,人要生活就必然要计较利害,既然追求利益的欲望不可能被去掉,但可以以义制利,仍然可以有和谐社会。相反,利欲克制了道义,乱世就来了。

> 义与利者,人之所两有也。虽尧舜不能去民之欲
> 利,然而能使其欲利不克其好义也;虽桀纣亦不能去民
> 之好义,然而能使其好义不堪其欲利也。故义胜利为治
> 世,利克义者乱世。(《荀子·大略》)
> 巨用之者,先义而后利,安不恤亲疏,不恤贵贱,唯
> 诚能之求,夫是之谓巨用之;小用之者,先利而后义,安
> 不恤是非,不治曲直,唯便僻亲比己者之用,夫是之谓小
> 用之。(《荀子·王霸》)

荀子并不反对追求利益,而是要求先义后利,以义制利。对
于重利轻义的人,就不能让他做官,"不能以义制利,不能以
伪饰性,则兼以为民"(《荀子·正论》)。从大处治理国家,就
会强大而称王天下,从一些细枝末节去治理,国家就会弱小
而被兼灭。所谓大治的国家,就是先考虑道义而后考虑财
利,任用人不顾亲疏,不顾贵贱,只寻求真正有才能的人。所
谓小治国家,就是先考虑财利而后考虑道义,不顾是非,不管
曲直,只是任用善于阿谀奉承的宠臣和亲近依附自己的人。

关于义与荣辱。"荣"和"辱"是道德的评价范畴,对道德
行为的赞美和批判,对应的自我心理是荣誉感和耻辱感。在
荀子之前,墨子说:"强必荣,不强必辱。"(《墨子·非命下》)
事情的现实功效是荣辱的准则。孟子则说:"仁必荣,不仁必
辱。"(《孟子·公孙丑上》)荀子不同于两者,认为不论是个人
还是社会,荣誉感和耻辱感的区分,取决于"先义"还是"先
利",提出了"义荣"、"势荣"和"义辱"、"势辱"四个概念。

荀子说"好荣恶辱"和"好利恶害"一样,都是"君子小人
之所同","义"是区分它们的根本标准,"先义后利者荣,先利

而后义者辱"(《荀子·荣辱》)。荀子详细地按照义与利、内与外,对荣与辱进行了分类:

> 圣王之分,荣辱是也。是有两端矣,有义荣者,有势荣者,有义辱者,有势辱者。志意修,德行厚,知虑明,是荣之由中出者也,夫是之谓义荣。爵列尊,贡禄厚,形势胜,上为天子诸侯,下为卿相士大夫,是荣之从外至者也,夫是之谓势荣。流淫污僈,犯分乱理,骄暴贪利,是辱之由中出者也,夫是之谓义辱。詈侮捽搏,捶笞膑脚,斩断枯磔,藉靡舌绝,是辱之由外至者也,夫是之谓势辱。是荣辱之两端也。故君子可以有势辱而不可以有义辱,小人可以有势荣而不可以有义荣。有势辱无害为尧,有势荣无害为桀。义荣势荣,唯君子然后兼有之;义辱势辱,唯小人然后兼有之。是荣辱之分也。(《荀子·荣辱》)

荀子认为古代圣贤看重荣誉与耻辱,有"义荣"、"势荣"和"义辱"、"势辱"。由于自己的德行或道义所获得的光荣叫做"义荣",由于外界客观条件或势位方面所获得的光荣叫做"势荣",由于自己的德行或道义方面所获得的耻辱叫做"义辱",由于外界客观条件或势位方面所获得的耻辱叫做"势辱"。所以一个人贵为公卿,乃至做了天子,可能仅仅是权势上的荣耀,未必是真正的光荣,不妨碍他成为桀这样的人;一个人遭受刑罚,被五花大绑,被挖去膝盖骨,受人侮辱,可能仅仅是势位上的耻辱,未必是真正的耻辱,不妨碍他成为尧这样的人。君子可能遭受"势辱",但不会有"义辱";小人可能获得"势荣",但不会有"义荣"。唯有君子才可能同时拥有"义荣"和"势荣",而"义辱"和"势辱"只有小人才可能同时占有。

古往今来,圣王和士大夫坚守这样的守则,变成自己生活的习惯,评判历史人物的标准,从未改变过。

荀子没有否定"势荣",认为"义荣"和"势荣"可以统一在君子人格之中,但更为推崇的显然是"义荣",突出"荣"的道义性质,而不是"荣"的功利价值。所以评价齐桓公、宋襄公、晋文公、秦穆公和楚庄王"春秋五霸"时,荀子说:"彼以让饰争,依乎仁而蹈利者也,小人之杰也,彼固曷足称乎大君子之门哉?"(《荀子·仲尼》)依靠诡诈的心计来取胜,以谦让来掩饰争夺,依靠仁爱之名来追求实利,是小人中的佼佼者,不能站在孔子面前称是大君子。可见,荀子的义利观自始至终都是站在道义的高度,保持着统一性,也紧密切合生活实际,是非常合理的。

由此可知,荀子的义利观,倡导"先义而后利","以义制利",所谓"人一之于礼义,则两得之矣;一之于情性,则两丧之矣。故儒者将使人两得之者也,墨者将使人两丧之者也,是儒、墨之分也"(《荀子·礼论》),求得义利兼得,既不同于纵欲主义和极端功利主义,又不同于禁欲主义和寡欲说。荀子的观点整体上还是属于儒家的道义论,把义放在第一位,利放在第二位,在原则上比较合理地处理了义利关系。

3. 道义高于君父

在荀子的义德思想中,还有一个极富价值的政治伦理观念,这就是他的"从道不从君,从义不从父"的精彩命题。一般说来,儒家人物出于社会和谐、国家统一、民族团结,以及家族稳定的需要,是维护"君父"地位的,但是这种维护也是有条件的,即君权、父权必须与道义相一致,甚至必须以维护道义为前提。对于从根本上违背道义、践踏道义的君主,不但不应维护,甚至可以讨伐诛杀,这就是孟子所谓"闻诛一夫纣矣,未闻弑君也"(《孟子·梁惠王下》)的大胆言论。

荀子继承了孟子的这一思想,他对于"孝子"是否服从
"父命"的问题,作出了具体的分析:

> 孝子所以不从命有三:从命则亲危,不从命则亲安,
> 孝子不从命乃忠;从命则亲辱,不从命则亲荣,孝子不从
> 命乃义;从命则禽兽,不从命则修饰,孝子不从命乃敬。
> 故可以从而不从,是不子也;未可以从而从,是不忠也。
> 明于从不从之义,而能致恭敬、忠信、端悫以慎行之,则
> 可谓大孝矣。传曰:"从道不从君,从义不从父。"此之谓
> 也。(《荀子·子道》)

也就是说,在某些具体情形之下,孝子不盲目服从父命才是
正确的,才是有利于家庭社会和谐稳定的,这里的前提性的
标准就是道义原则。在《荀子》一书的《臣道》、《子道》二篇文
章中,荀子反复论述了这一观点。

宋代理学家孙觉著有《春秋经解》,其中有一段话是以
"荀子曰"的形式援引出来的,其文更加精辟,更加概括,更能
体现出道义高于一切的价值取向:

> 荀子曰:从道不从君,从义不从父,人之大行也。入
> 则孝,出则弟,人之小行也。盖事有不中于道理,有不合
> 于义者,则虽君父有命,有不必从,惟道义之所在耳。
> (《春秋经解》)

很明显,这一论点,同绝对主义的君父论唱的是截然不同的
反调,而这一反调中透露出来的是儒家义德观念的正面价
值,并含有一定的民主色彩,是非常宝贵的理念。

四、从汉儒到宋明诸儒

在儒家思想发展史上,孔子是儒学创始人,董子是经学大师,朱子是理学大师,分别代表了儒学三个阶段。其中董子是在先秦百家争鸣之后,融汇百家学说,使儒学贯通子学而独尊,对中华文化和道德传统有着承前启后的特殊作用,

1. 董仲舒:正义不急利

首先,董仲舒特别注意辨别仁与义,认为"义"就是正自己,而不是正别人。

董仲舒的"义"同"仁"一样,来源于"天","天志仁,其道义"(《春秋繁露·天地阴阳》)。但董仲舒提出"义与仁殊",认为两者的所指与寓意都很不相同。他说:

> 是义与仁殊。仁谓往,义谓来,仁大远,义大近。爱在人谓之仁,义在我谓之义。仁主人,义主我也。故曰仁者人也,义者我也,此之谓也。君子求仁义之别,以纪人我之间,然后辨乎内外之分,而著于顺逆之处也。是故内治反理以正身,据礼以劝福;外治推恩以广施,宽制以容众。(《春秋繁露·仁义法》)

"义"的对象是我自己,要求自己正当、正派,如果自己做不到,即便是能要求别人正当、正派,也不算是"义"。"仁"的法则是爱人,不在于爱自己,虽然能够自爱,却不爱别人,也不能称为"仁"。董仲舒认为,如果对自己的要求愈加放松,对他人的要求愈加苛刻,那么仁义法则就会变成一种彻头彻尾的利己主义。因此,所谓"仁义",作为处理人我关系的道德准则,应该是严于律己,宽以待人,不是"以仁自裕,而以义设人"。中国传统道德最终归结为人我之间的"爱人"与"正我"

相统一的两方面。

其次，董仲舒阐释了王道正义，具体说明王朝更迭改制和王道正义延续之间的关系，分别提出了"三统"循环和伦理恒常的理论。

关于王道正义，他说："且天之生民，非为王也，而天立王以为民也。故其德足以安乐民者，天予之；其恶足以贼害民也，天夺之。"（《春秋繁露·尧舜不擅移汤武不专杀》）皇权的设立是天意为了维护百姓安乐秩序而设置的。这体现了董仲舒的民本思想，他没有直接主张王权至上，在皇权上面安排了"为民"的天道意志，如果皇帝违背天意就会被推翻，治理妥当就会获得祥瑞奖励。天道意志就是王道正义。这也是先秦儒家一贯的民本政治理念。

他认为王朝更迭的标准取决于是否违背天意规定的王道正义，以黑、白、赤三色为治理方式的标志，循环更迭王朝，夏朝为黑统，商朝为白统，周朝为赤统，周朝之后又为黑统，循环往复。王朝的更迭具体表现在政治体制的改变上，但是王道正义始终是恒常不变的。董仲舒说：

> 今所谓新王必改制者，非改其道，非变其道，非变其理，受命于天，易姓更王，非继前王而王也。若一因前制，修故业，而无所改，是与继前王而王无以别。受命之君，天之所大显也。事父者承意，事君者仪志。事天亦然。今天大显已，物袭所代而帅与同，则不显不明，非天志。故必徙居处、更称号、改正朔、易服色者，无他焉，不敢不顺天志而明自显也。（《春秋繁露·楚庄王》）

正是通过迁移宫殿、更改年号、修改历法、更换制服等，彰显天道意志对王朝天命的更迭。但是新王改制，不改其道，不变其理。

> 若夫大纲、人伦、道理、政治、教化、习俗、文义尽如故,亦何改哉?故王者有改制之名,无易道之实。(《春秋繁露·楚庄王》)
>
> 道之大原出于天。天不变,道亦不变。(《汉书·董仲舒传》)

这里所说的"道",是指天道,也就是上古所奉行的王道正义。所以原有的王朝之所以被推翻,是因为违背了天道意志的王道正义,新王朝的政治体制也必须顺应天道意志,重新维护王道正义。

再次,董子权衡义与利、道与功,做出总括性的经典断语,对后世影响深远,表明了他重义轻利的态度。

班固所作的《汉书·董仲舒传》,有一则董仲舒关于义利的著名命题,叫做"夫仁者,正其谊(义)不谋其利;明其道不计其功",每每为人非议,认为它完全排除功利,是迂腐之见。其实关于董仲舒的这一命题,还有另一版本,"仁人者,正其道不谋其利,修其理不急其功"(《春秋繁露·对胶西王越大夫不得为仁》)。这两种说法,一个是"不计其功",一个是"不急其功",语义轻重相去甚远。而两句话中的"不谋其利",都是指私利。从之前儒家一贯的立场来看,孟子到了卫国,对梁惠王说"何必曰利,惟仁义而已",并不是不要利,而是不要急功近利。从董仲舒的基本思想来考察,他显然也不是全然决然地抛弃功利。

按照董仲舒的人性论,人生于天,天有阴与阳,所以人有贪的情欲与仁的理性,仁是人的阳气本性,贪是人的阴气情欲。董仲舒认为义与利都是人所需要的,各有用处,他用身与心比喻利与义。人都有利与义的需要，利是用来养身体的，义是用来养心的。

> 天之生人也，使人生义与利：利以养其体，义以养其
> 心。心不得义，不能乐；体不得利，不能安。义者，心之
> 养也；利者，体之养也。（《春秋繁露·身之养重于义》）

但人心贵于人身，利可以满足人身，却不能养人心，人心只能用义来养，且能支配人身，人心贵于人身，所以义重于利。

> 体莫贵于心，故养莫重于义。义之养生人，大于
> 利。……夫人有义者，虽贫能自乐也；而大无义者，虽富
> 莫能自存。吾以此实义之养生人大于利而厚于财也。
> 民不能知，而常反之，皆忘义而殉利，去理而走邪，以贼
> 其身，而祸其家。此非其自为计不忠也，则其知之所不
> 能明也。（《春秋繁露·身之养重于义》）

义能养心，利能养身。心比身要贵重，所以义大于利。舍利取义，虽然贫寒但也能有所乐。忘义殉利，虽然富有也必定会遭受不幸。因此应当重大义，轻私利。"天之为人性，命使行仁义而羞可耻，非若鸟兽然，苟为生苟为利而已。"（《春秋繁露·竹林》）

董仲舒把"义"作为天下治乱的根本，强调公利，以"为天下兴利"为要。他说：

> 天道积聚众精以为光，圣人积聚众善以为功。故日
> 月之明，非一精之光也。圣人致太平，非一善之功
> 也。……量势立权，因事制义。故圣人之为天下兴利

也,其犹春气之生草也,各因其生小大而量其多少。其为天下除害也,若川渎之写于海也,各顺其势倾侧而制于南北。故异孔而同归,殊施而钧德,其趣于兴利除害一也。是以兴利之要,在于致之,不在于多少;除害之要,在于去之,不在于南北。(《春秋繁露·考功名》)

圣人积聚众善以为功,就是为天下兴利除害。他又说:"古之圣人,见天意之厚于人也,故南面而君天下,必以兼利之。"(《春秋繁露·诸侯》)"天常以爱利为意,以养长为事,春秋冬夏皆其用也。王者亦常以爱利天下为意,以安乐一世为事,好恶喜怒而备用也。……人主出此四者,义则世治,不义则世乱。"(《春秋繁露·王道通三》)君主追求天下公利,实现社会安乐太平。好恶喜怒只是手段,以求合于义,成为治世。

总之,董仲舒完全延续了孔孟重义轻利的基本态度。《汉书·董仲舒传》的"正其谊(义)不谋其利,明其道不计其功"论断,把义利推向了对立,广为流传,对后世影响深远,乃至于被宋明理学的部分学者进一步扩展为"存天理灭人欲",进一步走向极端。

2. 宋明理学:义利之辨

宋明理学关于义最重要的议题就是义利之辨。譬如程颢指出:"天下之事,惟义利而已。"(《二程遗书》卷十一)朱子说:"义利之说,乃儒者第一义。"(《朱子文集》卷二十四)陆象山则说:"凡欲为学,当先识义利公私之辨。"(《陆九渊集·语录下》)他们都把辨别义利看作是为学的根本。由于义行的复杂性,从行为的目的、对象、时机、条件、途径、效果、时代等情景,辨别行为是否属于义行,常常面临很多种情况,需要进行辨别分析,不能固执一法作为万能灵丹。宋明学者强调要辨明行动的初衷、途径与效果对应关系,重视探讨"义"与

"利"的界限，以及是否可能融通。

一般说来，与"义"相对的有"功"和"利"。"功"是由劳苦而有斩获的良好效果，如成功、功劳、功绩等。春秋的叔孙豹将"立德"、"立功"、"立言"称为万古长青的"三不朽"，"立功"就是为国家建立名垂青史的杰出功绩。可见"功"通常都是正面的价值评价。孔子说："敏则有功。"（《论语·阳货》）又说："大哉，尧之为君也！巍巍乎！唯天为大，唯尧则之。荡荡乎！民无能名焉。巍巍乎！其有成功也。"（《论语·泰伯》）当然也不排除有非功之功，如颠倒是非的僭功，有名无实的虚功，但更改不了"功"的本义。

"利"近似于"功"，但它是偏向于相对性很强的客观结果而言。如果我们从客观角度，按照公私之别，大小之分，看待"利"的相对性，往往说明不了"利"的正当性问题。通常多数人或国家的利益称为公利，个人或少数人或小集团的利益称为私利。但是公利是由众多私利相互交叠构成的，离不开私利。譬如勤勉工作，只为自家生活，虽是私利却完全是正当的；而以民族大义和国家公利为旗帜，发动帝国争霸，对外杀人掠货，虽然获利丰厚，义与非义自见。孔子正是看到了以人的数量多少说明不了"利"的正当性，才会厌恶恶世流俗的乡愿。可见以公利和私利无法确定地说明哪种利是正当的。同理，大利与小利也不足以说明应当与不应当。譬如公平买卖，薄利多销，虽是小利营生，经久积累，可以为巨商；而强取豪夺，走私贩毒，虽能是暴利，可以一夜巨富，却是非义之财。只有直接从价值判断的角度，以正邪归类利益，称"正利"与"邪利"，才能和代表正当性的"义"构成对应关系，否则用公利与私利、大利与小利等划分，或者泛言功利，都容易以偏概全，产生混淆和无谓的争议。

宋明时期的义利之辨产生原因，除了上述有关"义"与

"利"语义界定上的分歧之外,也还有如何看待"义"与"利"的优先性问题。总体而言,他们有三派观点:一派是以程朱为代表,极力强调义,贬低利;再一派是以王安石为代表,主张义利统一,兼重义利;最后一派是以李觏为代表,"利欲可言",与众同利,反对排斥利。

首先,王安石、张载等人兼重义利。王安石把"仁"与"义"结合在一起,又将"仁义"作为道德的代名词,并且创造性地提出了"为己"与"为人"的统一问题,以义理财,从而在更深层上论证了义利合一。"政事所以理财,理财乃所谓义也"(《答曾公立书》),利可以为义。像杨朱那样"拔一毛而利天下,不为也",只顾为己,只知利己,是"不义";像墨子那样"摩顶放踵以利天下",只顾利他,只知为人,是"不仁"。两者均是极端,都不是圣人的"仁义之道",而是"得圣人之一而废其百者也"。因此,王安石认为:"由杨子之道则不义,由墨子之道则不仁,与仁义之道无所遗而用之不失其所者,其为圣人之徒欤?"(《临川先生文集·杨墨》)王安石提倡以义理财,但"理天下之财""不可以无义"(《乞制置三司条制》)。

同样,张载以公私为义利的分别标准,用义来衡量评判利的对错是非。张载一方面说:"当生则生,当死则死。……惟义所在。"(《张子语录》)只在乎义,生死去留,可以浑然不顾。另一方面他又主张"义公天下之利"(《张子语录》),综括儒墨两家思想,以公利为义,认为利而不私,公天下之利便是义。让利同义结合起来,就是善。圣人以义为利,因为出于义的利,才是真正的利。

其次,程颢、程颐、朱熹等人严辨义利,唯义是从,要求"存天理,灭人欲"。程颢说:"大凡出义则入利,出利则入义。天下之事,惟义利而已。"(《二程语录》卷十一)"孟子辨舜、跖之分,只在义利之间。"(《二程语录》卷十七)他认为义利是相排斥的,非义即利,非利即义,人生大事,只在分别义利而已。程颐的义与利、公与私、人与己、"人心"与"道心"、"利欲"与"天理"都是对立的,"心存乎利,取怨之道也,盖欲利于己,必损于人"(《论语解·里仁》)。在他看来,非公即私,非义即利,要想统一义利,就必须以义为利,把仁义当作利。他实际上是取消了利。

> 义与利,只是个公与私也。才出义,便以利言也。只那计较,便是为有利害;若无利害,何用计较? 利害者,天下之常情也。人皆知趋利而避害,圣人则更不论利害,惟看义当为与不当为,便是命在其中也。(《二程语录》十七)

> 不独财利之利,凡有利心便不可。如作一事,须寻自家稳便处,皆利心也。圣人以义为利,义安处便为利。(《二程语录》十六)

> 人为之不善,欲诱之也。诱之而弗知,则至于天理灭而不知反。故目则欲色,耳则欲声,以至鼻则欲香,口则欲味,体则欲安,此皆有以使之也。然则何以窒其欲? 曰思而已矣。学莫贵于思,唯思为能窒欲。(《二程遗书》二十五)

义与利离得很近,只在公与私的一念之间。利心就是私欲,凡事都计较利害得失。但趋利避害是人之常情,求利需要用义来区分应当与不应当。"夫利,和义者善也;其害义者不善也。"(《二程语录》十九)不论利害,"惟看义当为与不当为"。程朱所说的"天理"是指天生人是所赋予的人性,包括仁义道德在内的道理,"人欲"是人通过"气"获得形体时,所夹杂包括私心在内的个体人心。由于二程认为"不是天理,便是人欲","无人欲即皆天理"(《二程遗书》十五),而从利欲这种动机出发都是错误的,有害的,所以私欲都应该剿灭,要"灭私欲",存天理。

朱熹也严辨义利,认为"为义",不要"为利",才是唯一正确的价值选择。朱子认为事无大小,都可以用义与利来分辨,乃至于人的一言一行都处于义利之中。他所谓的"义"和"利",大体上与二程差不多。"义者,天理之所宜。"(《论语集注·里仁》)"为义"就是人的天地之性所注定的应然道德法则。"利者,人情之所欲。"(《朱子语类》六十)利是气禀之性在人身上的情欲,"为利"就是以利为动机,或怀有利的欲望。利与义,"为义"与"为利"两者是对立的。朱子说:

> 圣贤千言万语,只是教人明天理,灭人欲。(《朱子语类》十二)
>
> 凡事不可先有个利心,才说着利,便害于义。圣人做处,只向义边做。(《朱子语类》五十一)
>
> 况天理人欲不两立,须得全在天理上行,方见得人欲消尽。义之于利,不待分辨而明。(《朱子语类》一百十三)

一个真正"为义"的人从不去权衡义利问题,因为他心里只有义,根本没有利的念头。做着同样行为的人,他们的内心动机和目的可能完全不一样,需要严格区分。只有做到"人欲亡",才能"天理存"。只有"为义"才是唯一正确的价值选择。可见,朱熹和二程的义利观都接近于绝欲主义,他们重义贱利已经走向极端了。

再次,李觏、胡五峰、陈亮、叶水心等主张经世致用,认为"利欲可言",要求以利和义,"与众同利",以公利反对私利,批评当时道学家极力"去利"和"灭人欲"的说教，反对贵义贱利的态度。李觏说：

> 愚窃观儒者之论，鲜不贵义而贱利，其言非道德教化不出诸口矣。然《洪范》八政，一曰食，二曰货。孔子曰："足食，足货，民信之矣。"是则治国之实，必本于财用。……是故贤圣之君，经济之士，必先富其国焉。（《直讲李先生文集·富国策》）
>
> 利可言乎？曰：人非利不生，曷为不可言！欲可言乎？曰：欲者人之情，曷为不可言！言而不以礼，是贪与淫，罪矣！不贪不淫，而曰不可言，无乃贼人生，反人之情！世俗之不喜儒以此。孟子谓"何必曰利"，激也。焉有仁义而不利者乎？（《直讲李先生文集·原文》）

他认为利是用来满足人需要的，不言利就连生活都满足不了，礼义教化就无从谈起，讲仁义不能离开言利。"人非利不生"，"治国之实，必本于财用"，理论不该违背生活和人情。李觏批判脱离利益内容的空泛道义，但也反对唯利无义的极端功利主义和损公肥私的个人主义，强调对利益要"结以制度"。

胡五峰在对利作了分析之后，也要求重视利。"一身之利，无谋也，而利天下者谋之。一时之利，无谋也，而利万世者则谋之。"（《知言》）叶水心强调事功的重要，反对专讲义不讲利的态度。他说："正宜不谋利，明道不计功，初看极好，细看全疏阔。古人以利与人而不自居其功，故道义光明。后世儒者行仲舒之论，既无功利，则道义乃无用之虚语耳。"（《习学记言》）道义不在功利之外，两者完全可以结合在一起，甚至很多时候不能分开，完全离开功利的道义只是空话而已。

谋利而不自私其利,计功而不自居其功,就是道义。

关于义利之辨,到宋明为止,总体上崇尚义、贬低利的势力更大,但是到了明后期和清代,开始出现逆反。清儒越来越重视义利结合,义利观更趋于平实。譬如王船山说:"立人之道曰义,生人之道曰利。"(《尚书引义》二)义与利都是人之道,缺一不可,只是需要循义而行,必定能无往不利。而颜习斋强烈地反对"不谋其利""不计其功"的观点。"以义为利,圣贤平正道理也。尧舜利用,《尚书》明与正德厚生并为三事;利用安身,利用刑人,无不利,利者义之和也,《易》之言利更多。"(《四书正误》)不应该反对义中之利,而完全不谋利计功,人道也就无从谈起,因此他提出了与董仲舒完全相反的命题:"正其谊以谋其利,明其道而计其功"。

总之,儒家在事实论述时,一般把义理并重,特别是把天下之公利看作是正利,要求注重民众生计,并看作是道德生活和社会秩序的根本。同时,儒家在道德价值评判时,通常从义德作的高标出发,重义轻利,使民众能够安贫乐道,使君主以和平的王道治理天下。

"兼爱""贵义"，谋取公利：墨子的义德观

墨子稍晚于孔子，早年学习儒家思想，但要求对周礼破旧立新，因而另立新说。他所创墨家在当时享有盛誉，与儒家齐名，号称"儒墨显学"。墨家伦理思想以贵义尚利、"兼爱""非攻"为主导，在先秦诸子中独树一帜，融为中华文化精神和传统道德的重要内容。

墨子从儒家的仁爱总原则出发，创建了一套不同于儒家的独特学说。墨家极其重视义，以"义"为最高道德准则，同时又重视利，认为义与利是统一的，因而以利释义。墨子赋予"义"以"兼相爱，交相利"、"爱无差等"等内容，爱一切人成为人与人交往的基本准则。墨家敦厚的求利、平等、和平、勤俭、践行等观念深受百姓欢迎，早已化为民众日常生活准则。

一、以兼论义："兼相爱，交相利"

墨子认为仁爱应该是兼爱，义就是利，提出只有"兼相爱，交相利"，才是最有利于民众的德行，能够实现天下太平，制止社会纷争。墨子对兼爱的历史依据、重要性、现实性都做了大量的论证，从而说明"兴天下之利"的大义完全是可行的。

"兼相爱，交相利"就是包括国君在内的所有人都相互敬爱，共同谋划和分享利益，是墨子的社会理想。古代的理想社会是大同社会，"不独亲其亲，不独子其子"，"货恶其弃于地也，不必藏于己；力恶其不出于身也，不必为己"，"天下为一家，中国为一人"（《礼记·礼运》），这正是墨子的"兼相爱，

交相利"所追求实现的社会状态。

> 义人在上,天下必治,上帝、山川、鬼神,必有干主,万民被其大利。何以知之?子墨子曰:古者汤封于亳,绝长继短,方地百里,与其百姓兼相爱,交相利,移则分,率其百姓以上尊天事鬼,是以天鬼富之,诸侯与之,百姓亲之,贤士归之,未殁其世而王天下,政诸侯。昔者文王封于岐周,绝长继短,方地百里,与其百姓兼相爱,交相利则,是以近者安其政,远者归其德。(《墨子·非命上》)

> 顺天意者,兼相爱,交相利,必得赏;反天意者,别相恶,交相贼,必得罚。然则是谁顺天意而得赏者?谁反天意而得罚者?子墨子言曰:昔三代圣王禹、汤、文、武,此顺天意而得赏也;昔三代之暴王桀、纣、幽、厉,此反天意而得罚者也。然则禹、汤、文、武,其得赏者何以也?子墨子言曰:其事上尊天,中事鬼神,下爱人,故天意曰:此之我所爱,兼而爱之;我所利,兼而利之。爱人者此为博焉,利人者此为厚焉。故使贵为天子,富有天下,业万世子孙,传称其善,方施天下,至今称之,谓之圣王。然则桀、纣、幽、厉,得其罚何以也?子墨子言曰:其事上诟天,中诟鬼,下贼人,故天意曰:此之我所爱,别而恶之;我所利,交而贼之。恶人者,此为之博也;贼人者,此为之厚也。故使不得终其寿,不殁其世,至今毁之,谓之暴王。(《墨子·天志上》)

有道义的人主持国家,天下必定迎来治世,百姓能受到大利恩泽。商汤和周文王正是同百姓一道"兼相爱,交相利",使得诸侯、百姓、贤士都近亲和归附他们,近处的人安心做事,远处的人向往他们的德行。与"兼相爱，交相利"对应的是"别相恶，交相贼"，上天生人，自有意志，奖惩分明。其实墨子所谓的"天"、"鬼"都是人所构成的社会环境和氛围，也可以看作是天下的民心所在。唯有"兼相爱，交相利"才能符合道义，赢得天下，相反，"别相恶，交相贼"必定违背道义，失去人心。

首先关于"兼"。"兼爱"在《墨子》中也经常简称为"兼"，墨子认为"兼"即是义，就是行为所当遵循的最高准则。

> 分名乎天下，恶人而贼人者，兼与？别与？即必曰：别也。然即之交别者，果生天下之大害者与？是故别非也。……分名乎天下，爱人而利人者，别与？兼与？即必曰：兼也。然即之交兼者，果生天下之大利者与？是故子墨子曰：兼是也。且乡吾本言曰：仁人之事者，必务求兴天下之利，除天下之害。今吾本原兼之所生，天下之大利者也；吾本原别之所生，天下之大害者也。是故子墨子曰别非而兼是者。（《墨子·兼爱下》）

"兼"是不分人我，不分远近，不分等级，视人如己。与"兼"相对的是"别"，就是分别人我，自私自利，所以私欲横行，爱己不爱人，损人利己。"天下之利"就是义，想求得义，必须以"兼"为是，以"别"为非。仁义在现实事务上，无外乎就是"兴天下之利，除天下之害"。而兼则可生天下之利，别则生天下之大害，所以墨子提倡用"兼"替代"别"，努力宣扬"别非而兼是"。

其次关于"爱"。所谓"兼士"之爱，就是综合所有人在内的大爱，不是私爱，不是独爱，是不分远近亲疏，没有差等地爱所有人，视人如己，不分人我。在爱人利人过程中，自己的利益不仅不会受到损失,相反还能因此得到保障,"爱人不外己,己在所爱之中"(《墨子·大取》)。但是"别士"之爱,只爱己、利己,不爱人、利人,不肯待朋友和朋友的亲人,像对待自己和亲人。正是这种以"别"为方针的爱,才有"独知爱其国"、"独知爱其家"、"独知爱其身",导致诸侯国相互攻伐不休,君臣不惠忠,猜忌虐杀与篡权弑杀不断,父子不慈孝,兄弟不友爱和睦,强者欺凌弱者,富人侮辱穷人,权贵傲慢无礼,刁钻小人行奸诓骗,整个社会毫无道义可言。

> 今诸侯独知爱其国,不爱人之国,是以不惮举其国以攻人之国。今家主独知爱其家,而不爱人之家,是以不惮举其家以篡人之家。今人独知爱其身,不爱人之身,是以不惮举其身以贼人之身。是故诸侯不相爱,则必野战;家主不相爱,则必相篡;人与人不相爱,则必相贼;君臣不相爱,则不惠忠;父子不相爱,则不慈孝;兄弟不相爱,则不和调。天下之人皆不相爱,强必执弱,富必侮贫,贵必敖贱,诈必欺愚。
>
> ……
>
> 凡天下祸篡怨恨,其所以起者,以不相爱生也。是以仁者非之。既以非之,何以易之?子墨子言曰:以兼相爱交相利之法易之。然则兼相爱交相利之法,将奈何哉?子墨子言曰:视人之国若视其国,视人之家若视其家,视人之身若视其身。(《墨子·兼爱中》)

天下一切的祸端和怨恨,都源自于不相互敬爱。唯有遵守"兼相爱交相利之法",才能把别人的国家和自己的国家等同看待,别人和别人的家庭也都是平等的。"爱人,待周爱人而后为爱人。不爱人,不待周不爱人;不周爱,因为不爱人矣。"

（《墨子·小取》）一个人是不是真的做到"爱人"，在于看他是不是爱所有人。如果他做不到"爱人"，不用等到发现不爱所有人，只需要发现他只爱一部分人，不爱一些人，就可以断定他不是真正的"爱人"。可见，真正的"爱人"就应当是爱所有人，是"兼爱"。

墨子的兼爱要求爱所有人，首要的是排除和反对了恶人、害人的利己主义，但并没有否认人有利己之心，没有否定人要自爱，相反，通过"兼相爱，交相利"，恰恰满足了利己心和个人利益。墨子分析道：

> 然而天下之非兼者之言，犹未止。曰：意不忠亲之利，而害为孝乎？子墨子曰：姑尝本原之孝子之为亲度者。吾不识孝子之为亲度者，亦欲人之爱、利其亲与？意欲人之恶、贼其亲与？以说观之，即欲人之爱、利其亲也。然即吾恶先从事即得此？若我先从事乎爱利人之亲，然后人报我以爱利吾亲乎？意我先从事乎恶人之亲，然后人报我以爱利吾亲乎？即必吾先从事乎爱利人之亲，然后人报我以爱利吾亲也。然即之交孝子者，果不得已乎？毋先从事爱利人之亲与？意以天下之孝子为遇，而不足以为正乎？姑尝本原之。先王之所书，《大雅》之所道曰：无言而不雠，无德而不报，投我以桃，报之以李。即此言爱人者必见爱也，而恶人者必见恶也。（《墨子·兼爱下》）

所有人子都希望孝敬父母，也希望别人敬爱他的父母，而要想得到别人对自己父母的敬爱，他不能事先憎恶别人的父母，唯有别人父母事先得到他的爱护，他才会得到回报。正如《诗经·大雅》里说的"投我以桃，报之以李"。墨子也以

"爱人者必见爱也,而恶人者必见恶也"来说明"兼爱"的必要性。因此,"兼相爱"的爱人利人,在整体上可以同个人的利益取得一致,大家都应该乐于践行"兼爱"。

兼爱是爱所有人,但爱按照"伦列"顺序也还是有差别的。"义可厚,厚之;义可薄,薄之,谓伦列。德行、君上、老长、亲戚,此皆所厚也。为长厚,不为幼薄。"(《墨子·大取》)爱不能凭借个人意愿而有厚薄,但应该依据义的"伦列"秩序而有厚薄。如对待有德行的人、年长的人,爱就该加厚,但不是对年幼的人相应地减薄。墨家对长者的厚爱,不限于儒家对自己亲人长辈的仁爱,还包括他人长辈的厚爱。

再次,关于"兼爱"与义利。行兼就是利人,间接地就是利我。有益于天下的大义,就是公共之利,也就是墨子所提倡的"兼爱"。"爱人利人者,天必福之;恶人贼人者,天必祸之。"(《墨子·法仪》)"夫爱人者,人必从而爱之;利人者,人必从而利之。恶人者,人必从而恶之;害人者,人必从而害之。"(《墨子·兼爱中》)只有爱人利人,才能赢得上天和他人的敬爱和恩泽;唯有"兼相爱"则人己两利,而"别相恶"则不利人,最终也未必利己。

> 若使天下兼相爱,爱人若爱其身,犹有不孝者乎?视父兄与君若其身,恶施不孝?犹有不慈者乎?视弟子与臣若其身,恶施不慈?故不孝不慈亡有。犹有盗贼乎?故视人之室若其室,谁窃?视人身若其身,谁贼?故盗贼亡有。犹有大夫之相乱家、诸侯之相攻国者乎?视人家若其家,谁乱?视人国若其国,谁攻?故大夫之相乱家、诸侯之相攻国者亡有。若使天下兼相爱,国与国不相攻,家与家不相乱,盗贼无有,君臣父子皆能孝慈,若此,则天下治。(《墨子·兼爱上》)

天下之人都能够兼相爱,那么一切不道德的行为就化为乌有,天下也就大治了。墨子认为兼爱是道德的关键,治乱的枢纽,只要兼爱,君惠、臣忠、父慈、子孝、兄友、弟悌等德行自然就齐备,从而天下太平,根本不会有窃盗攻伐,一切扰乱无从生起。兼爱的极端就是对天下人无所不爱,兼爱天下,没有私心。尽爱全体民众,没有地域限制,人数也数不尽,甚至"不知其所处,不害爱之"(《墨子·经下》),如同孩子走丢了,不知道他在哪里,但父母对他的爱丝毫不减。

二、以利释义:"兴天下之利"

儒家的仁者爱人最终导向现实生活的礼制,义行的选择判断,走向利的对立面。而墨子则认为仁者爱人不是空泛的理念和形式,应该以实际的利人为目的和内容。符合"利天下"、"利人"的行为就是"义",就是善;相反,"亏人自利"、"害天下"的行为,则是"不义",是恶。墨子提出了评判义与不义、善与恶的原则,应当是"合其志功而观",即主观动机与客观效果结合的原则。

儒家把利理解为私利、私欲,实际上是危害他人和社会的邪利,对利的追求必然会违背义,所以义与利是对立的。墨子则贵义尚利,义以利为目的、内容和标准。墨子极其重视"义",常说"天下莫贵于义","万事莫贵于义"(《墨子·贵义》)。他所说的"义"就是把天下的事当作自己的事,义与非义在于"利人"还是"害人","利天下"还是"害天下"。利就是"天下之利",他人之利。因而义与利在根本上是一致的,是统一的。

墨子这样界定"义":

义者,正也。何以知义之为正也? 天下有义则治,

> 无义则乱。我以此知义之为正也。(《墨子·天志》)
>
> 义,利也。(《墨子·经说上》)
>
> 义,志以天下为芬,而能能利之,不必用。(《墨子·经说上》)

墨子认为义不仅是当然、应当的意思,而且以正为指引,具有正当性,代表着正派,所以义经常与正连用,为"正义"。墨子提出义意味着正,原因在于有义就能天下大治,无义就天下大乱,可见义对于社会的功效作用极大。从中不难发现,墨子实际上是看到义有利于天下,所以义是正,是利,即利人、利天下,乃"天下之利"、"人民之大利"等正利。所以墨子提倡要兴天下之利,除天下之害。

如何察看义与不义呢?墨子提出:"义利,不义害。"(《墨子·大取》)义必然是正当、应当的标准为人民之大利,天下之公利。有利于大多数人的行为,就是应当的,反之就是不应当。

> 今有一人,入人园圃,窃其桃李,众闻则非之,上为政者,得则罚之,此何也?以亏人自利也。至攘人犬豕鸡豚,其不义又甚入人园圃窃桃李。……当此,天下之君子皆知而非之,谓之不义。(《墨子·非攻》)

所谓"义"就是"利人",做到"有力者疾以助人,有财者勉以分人,有道者劝以教人"(《墨子·尚贤下》)。墨子有"利天"、"利鬼"、"利人"的"三利"说,实际上是"利人"的扩展。

> 若事上利天,中利鬼,下利人,三利而无所不利,是谓天德。故凡从事此者,圣知也,仁义也,忠惠也,慈孝

也，是故聚敛天下之善名而加之。……若事上不利天，中不利鬼，下不利人，三不利而无所利，是谓之贼。故凡从事此者，寇乱也，盗贼也，不仁不义，不忠不惠，不慈不孝，是故聚敛天下之恶名而加之，是其故何也？则反天之意也。（《墨子·天志下》）

"三利"被墨子称为"天德"、"天志"、"天之意"。墨子也喜欢以天的名义论证"义"的道德必然性。总之，"义"的行为标准，也即一切行为善恶的价值准则，就是"利人乎即为，不利人乎即止"（《墨子·非乐上》）。墨子所说的"利"都是"人民之大利"、"民之利"、"天下之利"、"国家百姓之利"等等，可见都是特指大利和公利，而不是个人的小利和私利。因此，在墨子看来，利是义与不义的标准，而且用利释义。

墨子一方面将利视为义的标准和内容，另一方面又把义视为利的手段。他称义才是天下真正可贵的"良宝"，因为义能利人、利天下。墨子说：

和氏之璧、隋侯之珠、三棘六异，此诸侯之所谓良宝也。可以富国家，众人民，治刑政，安社稷乎？曰：不可。所谓贵良宝者，为其可以利也。而和氏之璧、隋侯之珠、三棘六异，不可以利人，是非天下之良宝也。今用义为政于国家，人民必众，刑政必治，社稷必安。所为贵良宝者，可以利民也，而义可以利人，故曰：义，天下之良宝也。（《墨子·耕柱》）

唯能审以尚贤使能为政，无异物杂焉，天下皆得其利。……是以民无饥而不得食，寒而不得衣，劳而不得息，乱而不得治者。（《墨子·尚贤中》）

和氏之璧、隋侯之珠、三棘六异被诸侯看作是天下奇珍异宝，但却不能真正给国家、社会、民众带来实实在在的利益，所以和氏之璧、隋侯之珠、三棘六异不是真正的宝贝。唯有"义"才是珍贵的，能让国家富有，民众增多，刑政大治，社稷安定。义能实现"天下皆得其利"，而所谓"天下之利"就是具体的饥饿能有饭吃，寒冷而有衣穿，劳累就能得到休息，混杂的人群可以秩序井然。可见，"天下之利"就是"天下之富"和"天下之治"，是"民衣食之财"，完全是属于民众的现实生活。而社会"义"的盛行，才有"天下之利"的实现，当然墨子也期望圣王、"兼君"推广这种"义"。

由于墨子的义就是以天下为己任，充分施展才能，以利天下，是忘我利他的"任"，所以经常提倡自我牺牲精神。"任，为身之所恶，以成人之急。"（《墨子·经说上》）即便是损害自己，也要尽心尽力地利人。"断指断腕，利于天下相若，无择也。死生利若一，无择也。"（《墨子·大取》）为了保存手腕，可以选择断手指，为了利于天下，可以选择做出牺牲，两者道理是一样的。因为在墨子那里，义是正当、应然的正利，他最喜欢以利言义。墨子贵义利民，凡是有利于天下的就是应当的，符合义，就是应该竭尽全力去做：

> 凡言凡动，利于天、鬼、百姓者为之；凡言凡动，害于天、鬼、百姓者舍之。（《墨子·贵义》）
>
> 子墨子自鲁即齐，过故人，谓子墨子曰："今天下莫为义，子独自苦而为义，子不若已。"子墨子曰："今有人于此，有子十人，一人耕而九人处，则耕者不可以不益急矣。何故？则食者众而耕者寡也。今天下莫为义，则子如劝我者也，何故止我？"（《墨子·贵义》）

孟子评价墨子说："墨子兼爱，摩顶放踵，利天下，为之。"（《孟子·尽心》）墨子看到天下人不行义，如同吃饭的人多，耕种的人少，所以要加倍行义，"日夜不休，以自苦为极"（《庄子·天下》）。墨子和弟子们栖栖遑遑，奔走救世，只要能利天下，"赴火蹈刃，死不旋踵"（《淮南子·泰族训》）。

三、义利统一："合其志功而观"

墨子的义利观，除了包含贵义尚利的义利统一之外，还涵盖"合其志功"的动机与效果统一论。这里所谓"志"，即思想动机；所谓"功"，即客观功效。墨子将义归为利，其他道德也是求利。如忠和孝，"忠，以为利而强低也"（《墨子·经上》）。臣子对国君忠诚，就是要利天下，而不是为了国君一人。"孝，利亲也。"（《墨子·经上》）孝就是对双亲为利。但是如何辨别利呢？利害的辨别，需要看具体情形，不能简单只看一时。有时貌似有利，其实是大害的媒介。有时看似有害，其实是大利的先导。墨子提出不仅要注意利有量的大小，还要鉴别行为是否有义的动机和利的功效。

首先，利有量的大小，取义就应当求取功效多的利。以手指与手腕的取舍作比方，"断指以存腕，利之中取大，害之中取小也。害之中取小也，非取害也，取利也"（《墨子·大取》）。同理，算命的方式不同，耕种、纺织、从军、教授等职业的不同，所获取的利也不同：

> 且有二生于此，善筮，一行为人筮者，一处而不出者，行为人筮者，与处而不出者，其糈孰多？公孟子曰：行为人筮者，其糈多。子墨子曰：仁义钧。行说人者，其功善亦多，何故不行说人也！（《墨子·公孟》）
> 翟虑耕而食天下之人矣。盛，然后当一农之耕，分

诸天下，不能人得一升粟。籍而以为得一升粟，其不能
饱天下之饥者，既可睹矣。翟虑织而衣天下之人矣，盛，
然后当一妇人之织，分诸天下，不能人得尺布。籍而以
为得尺布，其不能暖天下之寒者，既可睹矣。翟虑被坚
执锐，救诸侯之患，盛，然后当一夫之战，一夫之战，其不
御三军，既可睹矣。翟以为不若诵先王之道，而求其说，
通圣人之言，而察其辞，上说王公大人，次匹夫徒步之
士。王公大人用吾言，国必治，匹夫徒步之士用吾言，行
必修。故翟以为虽不耕而食饥、不织而衣寒，功贤于耕
而食之、织而衣之者也。（《墨子·鲁问》）

墨子问公孟：同样是精通算命，一个外出为人算命，一个居家
为人算命，谁赚的粮食更多呢？显然是外出到处为人算命的
人收获更大。墨子说他曾经考虑为天下人耕种，但即便是获
得丰收，天下人连一升粟都分不到，根本没法让大家温饱，免
去饥饿。同理，为天下人纺布，即便非常熟练，大家分不到一
尺，没法让大家抵御寒冷；为救诸侯危难而披坚执锐，即便无
比英勇，只是一个难以抵抗三军的兵卒。这些都不如求得圣
贤之道，上面说服君王，下面教导民众，只要君王接受我的理
念，国家必定能大治；只要民众信服我的观点，行为必定更有
修养。因此，取义求利，需要考虑客观功用和实际效果的最
大化。

其次，义与利的判断和道德评判，必须考察动机和效果，
"合其志功而观"。同样的行为，可以有多种不同的动机；同
样的动机，又可以有多种不同的行为结果。只有综合志趣和
功效一起考察，才能恰当地做出论断。

鲁君谓子墨子曰：我有二子，一人者好学，一人者好

分人财，孰以为太子而可？子墨子曰：未可知也。或所为赏与为是也。钓者之恭，非为鱼赐也；饵鼠以虫，非爱之也。吾愿主君之合其志功而观焉。（《墨子·鲁问》）

鲁国的国君有两个儿子，一个好学，一个好施舍钱财给人，请教墨子哪个适合立为太子。墨子认为仅凭这点难以知晓哪个适合。有的人完全可能是为了沽名钓誉。如同钓鱼的人毕恭毕敬，小心翼翼，不是为了赏赐食物给鱼，给老鼠虫子做诱饵，不是因为爱老鼠。墨子用"三表法"来评判理论的合理性，其中之一就是要观察理论的施行，看是否符合国家百姓的利益。可见，我们同时考察表现的功效与行为的动机，是评价道德言行的稳妥办法。

在行为的功效还没有显现出来之前，依据动机作出判断，这样做不仅是可能的，而且是必要的。《墨子》中记载了这样一段对话：

巫马子谓子墨子曰：子兼爱天下，未云利也；我不爱天下，未云贼也。功皆未至，子何独自是而非我哉？子墨子曰：今有燎者于此，一人奉水将灌之，一人掺火将益之，功皆未至，子何贵于二人？巫马子曰：我是彼奉水者之意，而非夫掺火者之意。子墨子曰：吾亦是吾意，而非子之意也。（《墨子·耕柱》）

巫马子认为墨子要兼爱天下，不见得就真的能实现对天下的功利，他不爱天下，也不见得就真的损害了天下的利益，凭什么说爱天下就是对的，不爱天下就是不对的呢？墨子反问道他：假设现在有一地方失火了，一人要端水浇灭大火，一人要拿柴薪让火更旺，哪个值得赞同，哪个应该否定呢？很显然，尽管还没有发生实际的效果,希望端水救火和兼爱天下的动机是善的,值得肯定,而不爱天下和想增加火灾的动机是恶的,不能鼓励。

总之,墨子的义利观和兼爱论,与儒家的伦理学有极大的差异,但也都充分体现了民本思想和人道精神,共同构成了中华传统文化和道德体系不可或缺的重要部分。儒墨两家都崇尚"义",但是孔子的"义"最终指向"礼",而墨子的"义"以"利"为根本宗旨;孔子的"义"以尽忠尽孝为职责,墨子的"义"以"兼相爱,交相利"为准则,把利人、利天下作为"义"和善的原则,实现了义利的统一。墨子承认人有利己心,但不同于西方把利己作为价值的准绳,没有导向利己主义,既"贵义"又"尚利",维护了人的道德理性和尊严,实现了人我的统一。墨子兼爱贵义的独创思想,反映了普通民众的平等互助精神,具有人民性的品格和普遍性的价值,体现了奴隶制社会到封建制社会转型的道德变革要求,具有道德启蒙的时代意义。

此外,当我们在梳理阐述传统义德的时候,不能不联系到中国古代的民间侠义观念,这种侠义观念是极具影响力、感召力的,作为一种亚文化,它也是儒墨各家义德思想的特殊表现和折射。

有侠才有侠义,侠在上古时期肯定即已存在。《庄子》、《荀子》等文献中所记述的盗跖"名声若日月",在攻伐战斗中秉持"入先勇也,出后义也;知时智也,分均仁也"的理念,已颇见侠义精神。《吕氏春秋》之《士节》、《报更》中记载的北郭骚与翳桑饿人,其人受小德必以大报,亦可谓原侠的典型。至于《韩非子·五蠹》所说"儒以文乱法,侠以武犯禁",则明显代表了君权至上论者的立场观点。但总的说来,上述资料都是零星片断的。

至司马迁的《史记》,侠和侠义观念才第一次进入主流史家的视域。司马迁不仅专门写了《游侠列传》,而且在其他人物传记,如朱家传、郭解传中,热烈讴歌侠义精神。这些侠义精神大致包括:"其言必信,其行必果";不爱其躯,争赴厄困;"不矜其能,羞伐其德";言行一致,道义为先;忠奸分明,严判是非;不畏强权,敢于抗暴;知恩图报,机智勇敢……如此等等,在很大程度上彰显了人民的爱憎观念,明显具有强烈的人民性。

侠义精神也是我国古代文学讴歌的对象。张衡的《西京赋》就有对于"都邑游侠"的描述,曹植的《白马篇》中出现的"幽并游侠儿",是一种为赴国难、不顾身家性命的艺术形象,王维、李白、杜甫都在自己的诗篇中歌咏过游侠。至于唐传奇及后世的大量武侠小说中,更塑造了无数的"武侠"、"侠客"的形象,他们或隐身绿林,或闯荡江湖,或混迹人间,往往身怀绝技,出手不凡,创造神奇,他们或被称为绿林好汉,或被视为英雄儿女。他们展示的侠义精神包括济困扶危,怜恤孤弱,除暴安良,劫富济贫,讨伐无道,蔑视强权,从其正面价值来考量,无疑或多或少地体现了人民的渴望与诉求。

侠义精神跨越古昔,在金庸的武侠小说中更展示出崭新的境界。他塑造的人物形象,有郭靖这样的为国为民、兼具儒墨精神的"侠之大者",有杨过、令狐冲这样的追求个性风采的逍遥之侠,有洪七公这样疾恶如仇、刚健豪迈的正侠,有石破天这样无相无我、深通佛理的禅侠,有萧峰这样历经磨难仍然直面人生的超侠。在一定的意义上,这些人物形象所表现的侠义精神,既囊括了中华民族的民族精神,又凸显了20世纪的时代精神;既涵盖了既往的传统道德精神,又超越了传统道德精神。

　　义德精神,作为中国传统道德的辅翼,不仅仅得到以上学者、史家、文学家的阐释,还通过戏曲、节日、庙宇等方式,深入百姓的日常生活,从而使义德成为中国文化深刻的内在精神支柱之一。

义德概说

中华传统道德的第一原则是仁德理念,即爱的原则是第一原则,除了爱己,更要爱亲、爱人。而当面临各种"爱"发生冲突,或者需要做优先选择的时候,就存在爱的适用、爱的适宜、爱的选择问题,即"义"的问题,所以中华传统道德体系的第二个原则是义德准则。由于义德源自于人自觉的道德精神,也产生于社会的客观伦理,因此义德是人之为人的重要方面,是人禽之别的依据。"仁"如同心灵的居所,"义"就是由善良仁心发出,通往现实目标的恰当途径。每个人应该都有自己的安定居所,又必然要奔走于外面的谋生场所,从安定居所到谋生场所的路径路有千万条,但只有少数几条才是恰当的,衡量其中的是非善恶标准就是义德。古代思想家们把义德看作是由内到外的中间环节,从主观的仁心本意,到能动的义行途径,再到客观的功利结果,义德连接了主观动机与实践效果的两端,是整个现实社会生活的平衡。因此,义德对人存在的意义,同仁德的联系,对是非善恶的评判,对社会秩序的价值,构成了义德学说最主要的四个方面,也决定了义德在中华传统道德体系中一直都占据极其重要的地位。

一、义德是人禽之别的依据

中国传统儒家常常谈及人与动物的区别,叫做人禽之辨。例如孔子曾谈到"鸟兽不可与同群"(《论语·微子》),孟子曾谈及"人之所以异于禽兽者几希"(《孟子·离娄下》),荀子则说:"水火有气而无生,草木有生而无知,禽兽有知而无义。人有气、有生、有知、亦且有义,故最为天下贵也。力不若牛,走不若马,而牛马为用,何也? 曰:人能群,彼不能群也。"(《荀子·王制》)人与草木禽兽的区别在于人有"义","义"的存在和内容,不只是依托于人的生命和思想意识,还取决于社会关系。义德反映了人的主体道德精神,也体现了社会的客观伦理秩序,义德的主体性和社会性决定了义德是人禽之别的依据。

一方面,义德离不开道德主体的自觉。"义"作为中华传统道德的德目,是建立在古代圣贤对道德生活自觉认识基础上的,并通过个体的道德认知才能践行的。孔子说:"君子喻于义,小人喻于利。"(《论语·里仁》)"喻"就是主观自主自觉的道德选择,是人主体精神的反映,而动物缺乏这种自主自觉的意识。孟子也说:"君子所性,仁义礼智根于心。"(《孟子·尽心上》)"仁义礼智,非由外铄我也,我固有之也。"(《孟子·告子上》)"义"是由人内在的羞耻之心所发端,是人内在的道德精神。儒家都强调从内在心性角度提升义德修养,也说明了义德的主体性特征。

另一方面,义德是社会广泛认同的道德法则,是一种社会客观的伦理精神,也是维持社会秩序的必备条件。最早的"义"常指处理家族血缘外部关系的原则,而"仁"则是处理家族血缘内部关系的原则,所以有"仁内义外"之说。孟子否定了"义"源于外部的说法,但没有否认义德是社会交往的普遍性。墨子突出了义德的社会性和普遍性,要求义德的践行"不辨贫富、贵贱、远迩、亲疏,贤者举而上之,不肖者抑而废之"(《墨子·尚贤中》),在全社会中普遍地按照义德标准处理人间关系,实现社会的平等秩序。

总之,义德是作为主体的人的理性自觉与社会交往的必然，是内外交融的产物，是区分人禽之别的依据。

二、义德是仁德理念的展开

仁义都是发自人心所固有的善端，义德是在仁德基础上提出的实践性准则。孟子说："仁，人心也；义，人路也。"(《孟子·告子上》)仁为灵魂安宁的居所，义为人生处世的正路，但心灵发生的顺序是居仁由义，先怀有仁心，后践行道义，义是依据仁而展示出来的道德品质。如果说"仁"是一个原点，"义"则是从这个原点往外发散出来的各种线条，这些线条既要依据仁的理念，同时又要参照外界情况或曲或直。"仁义"就是道德理念的普遍性与道德实践的现实性统一。反过来，也只有把仁德与义德结合起来，用义德辅助仁德，依据具体情况采取最适宜的义德原则，才能排除某些表面符合仁德，其实掩盖深层仁德的行为。因此，仁德是最高的道德理念和原则，义德是使行动与情境达到最适宜的实践性和正当性原则。

仁是内隐的，义是外显的。如果说仁德是普遍的道德理念和道德追求，那么义德就是践行仁德时因时、因事、因人制宜，是同特定情境相宜的仁德选择。义德意味着在复杂的道德问题中，对多个"善"或"爱"进行价值选择和实践取舍。孔子的仁是爱的理念，义是爱的准则。爱的理念是纯粹的，爱就是爱。但爱的准则是有分别的，对象、范围、程度都有讲究，都要最适宜、最恰当。孔子说："君子之于天下也，无适也，无莫也，义之与比。"(《论语·里仁》)君子的行为没有既定的模式，无可无不可，但会坚持根据具体情境选择最适当的行为方式——即义德原则。正因为没有行为上僵死的教条，所以"大人者，言不必信，行不必果，惟义所在"(《孟子·离娄上》)，"以义变应，知当曲直故也。诗曰：'左之左之，君子宜之;右之右之,君子有之。'此言君子以义屈信变应故也"
(《荀子·不苟》)。只有最适宜的那条路线或行为方式,才真
正体现仁德根本精神,从而具有正当性。

三、义德是对善恶是非的评判

"义"包含了天下公义、民族大义、社会道义等语义,义德
因而具有评判社会价值的功能,是衡量是非善恶的标准。孟
子认为"义"来源于对社会行为和现象的羞恶情感,而这种
"义"的原初情感每个人身上是普遍同然的,"心之所同然者
何也? 谓理也义也。圣人先得我心之所同然耳。故理义之
悦我心,犹刍豢之悦我口"(《孟子·告子上》)。因而义德是
起始于个人,又通行于社会的普遍准则。

就天下公义而言,义德是衡量社会善恶与行为对错的标
准;就民族大义而言,义德是权衡大是大非与责任义务的标尺。
中国早就有天下公义、大同世界的理念,如:大禹治水三过家门
而不入,就是为了天下公利,而舍一己私情。商汤灭桀,周武伐
纣,是为了实现一种公平和秩序,追求一种社会正义。孔子要
求"修己以安百姓"(《论语·宪问》),为天下人谋求利益和福
祉。"大道之行也,天下为公。选贤与能,讲信修睦,故人不独
亲其亲,不独子其子,使老有所终,壮有所用,幼有所长,矜寡孤
独废疾者,皆有所养"(《礼记·礼运》),更直接是天下大公信念
的诉求。墨子忧国忧民,利济苍生,奔命于"国家百姓人民之
利"(《墨子·非命上》)。孟子说:"民为贵,社稷次之,君为轻。"
(《孟子·尽心下》)屈原的《离骚》"长太息以掩涕兮,哀民生之
多艰",范仲淹的名句"先天下之忧而忧,后天下之乐而乐",张
载的《西铭》"为天地立心,为生民立命,为往圣继绝学,为万世
开太平",顾炎武的呐喊"天下兴亡,匹夫有责",乃至侠义之士,
路见不平,拔刀相助,这些都是以天下苍生为念,把利济苍生看

作是社会之正义。在这种社会正义面前，是非与善恶具有超越性和确定性，为中国历代所推崇。

四、义德是对现实状况的平衡

从义德作为人禽之别的依据，到仁德理念的展开，再到对善恶是非的评判，最终义德必然要具体化为对现实状况的平衡。现实状况的平衡，包括了人与人之间社会关系的调节和义与利之间价值选择的权衡，前者是要安排合理的社会秩序，后者是要追求高尚的道德境界和道德人格。义德对社会现实状态的平衡，既要实现社会的平稳，又要促进社会的前进，更要让个人的社会生活获得高尚的情怀。

义德首先树立应有的社会秩序的标准，然后对现实的社会秩序进行调节。社会要有秩序，从劳动职业的分工，到社会身份的分层，必然要有所划分。义德要求社会这种划分必须是合理的，要求个体应当遵守各自的社会准则。"何谓人义？父慈，子孝，兄良，弟弟，夫义，妇听，长惠，幼顺，君仁，臣忠。十者谓之人义。"（《礼记·礼运》）荀子说："遇君则修臣下之义，遇乡则修长幼之义，遇长则修子弟之义，遇友则修礼节辞让之义，遇贱而少者，则修告导宽容之义。"（《荀子·非十二子》）社会各种角色承担相应的道德责任和义务，从而使社会和谐，秩序井然，正是义德的社会功能。当然，这种社会秩序是有等级差异的。如荀子提出："贵贵、尊尊、贤贤、老老、长长，义之伦也。"（《荀子·大略》）董仲舒说："大小不逾等，贵贱如其伦，义之正也。"（《春秋繁露·精华》）"立义以明尊卑之分。"（《春秋繁露·盟会要》）但是，这种社会秩序必须符合社会正义，如果国君只为一己之私，社会群众可"诛一夫"（《孟子·梁惠王下》），因为"天下非一人之天下也，天下之天下也"（《吕氏春秋·贵公篇》）。

　　同时,义德是在仁德基础上提出的实践性准则,而现实利益是人类生活最重要的实践目标,所以中国传统道德中的义德,其最重要的内容之一就是面向现实利益的考量。这一点可以从义德的提出和义利观的演变得到证明。春秋时代是中国奴隶制与封建制新旧社会秩序转换的时代,阶级地位、经济贫富和道德意识都急剧地错位。孔子倡导由仁义道德推动社会由盲动走向理性,由无序走向有序,实现仁而礼的安乐社会,其中义利观就是义德思想的核心议题。接着墨子、孟子、荀子对义利观产生了激烈的论辩。董仲舒出于安定大一统的国家需要,其义利观融会了诸子学说,协调了阶层的利益诉求。宋明时期,封建经济内部产生分化,贫富差距悬殊,部分富裕地区自发地出现了资本主义雏形,引发了更大程度上的经济不平等和社会不安,义利之辨最后演变成了压制欲望的道德说教。可见,义利观随着时代变迁而演化,反映了从道德角度出发考量变动着的社会经济关系,其中的适宜与正当也在不断变化。

　　义德是践行仁德的适宜,必然因时代而时宜,义利之辨也必然因时代变革而论辩。孔子知道时代变革为大势所趋,既要顺应潮流,又要避免冲突,因而奋力疾呼"见利思义"。孔子既说"君子喻于义,小人喻于利"(《论语·里仁》),又说"因民之所利而利之"(《论语·尧曰》),"富而可求也,虽执鞭之士,吾亦为之"(《论语·述而》)。其中的良苦用心总被后人误解,其中的义利观念总被后代诸儒割裂。孔子无非是要告诉人们:"富与贵是人之所欲也,不以其道得之,不处也;贫与贱是人之所恶也,不以其道得之,不去也。"(《论语·里仁》)人们见利思义,当趋则趋,当避则避。义由仁而来,尚且是不拘一格,无可无不可;利因义而考量,又何尝不是因时代、因对象、因情境而"无适""无莫"(《论语·里仁》)?

　　综上所述，义德对整个人生与社会意义极其重大。义德标示了人之为人的道德精神，义德的主体性和社会性是人禽之别的依据；义德连接着心性深处的需要与社会实践的方式，义德的中介性表明它是仁德理念的展开；义德是从个人通达社会的价值判断，具有道德价值的普适性，因而义德是对善恶是非的评判；义德是由内而外的道德实践准则，让适宜的社会秩序正常运转，让恰当的功利欲望变为现实，因而义德是对现实状况的平衡。据上所析可知，在中华道德体系中，"义"是仅次于"仁"的范畴，常常"仁义"并称，视为道德的代名词，义德是中华传统道德精神的辅翼。

原典选读

道义精神警言典例

1. 见义勇为

【原文】见义不为，无勇也。（《论语·为政》）

子路曰："君子尚勇乎？"子曰："君子以义为上。君子有勇而无义为乱，小人有勇而无义为盗。"（《论语·阳货》）

【诠解】孔子论义的角度比较多，主要目的是在仁的理想之下，说明选择行为的方式和裁断事情的准则。例如孔子探讨义与勇的结合，也是就行为的实践意义上说的。遇见该当要做的事却没有做，是你没有勇气。君子看重义，社会上层有勇无义，就会出乱子，下层百姓有勇无义，就常出盗窃。总之，仁是理想化的理念，义是在现实仁道的辅助。孔子对义德的论述，为后世儒家阐释义奠定了大的框架。

2. 舍生取义

【原文】鱼，我所欲也，熊掌，亦我所欲也；二者不可得兼，舍鱼而取熊掌者也。生亦我所欲也，义亦我所欲也；二者不可得兼，舍生而取义者也。生亦我所欲，所欲有甚于生者，故不为苟得也；死亦我所恶，所恶有甚于死者，故患有所不辟也。（《孟子·告子上》）

【诠解】孔子看重仁，提出了杀身成仁的命题，而孟子则看重义德，提出了舍生取义的命题，两者都用生命的重量衬托道德的价值。但他们并不是漠视生命，而是在分清轻重和主次的前提下，力求两者兼得。孟子提倡惟义所在的准则，认为在民族的大是大非面前，实在不能兼顾，那就要舍生取义，做出牺牲。

3. "以义正我"

【原文】所以治人与我者，仁与义也。以仁安人，以义正我，故仁之为言人也，义之为言我也，言名以别矣。仁之于人，义之于我者，不可不察也，众人不察，乃反以仁自裕，而以义设人。诡其处而逆其理，鲜不乱矣。是故人莫欲乱，而大抵常乱。凡以暗于人我之分，而不省仁义之所在也。是故《春秋》为仁义法。仁之法在爱人，不在爱我。义之法在正我，不在正人。我不自正，虽能正人，弗予为义。人不被其爱，虽厚自爱，不予为仁。（《春秋繁露·仁义法》）

【诠解】董仲舒特别注重仁与义的差异，指出"义与仁殊"。仁的对象是他人，仁就是爱他人；义的对象是自己，义就是端正自我。相反，"以仁自裕，而以义设人"，就是以仁德的名义爱自己，以义德的名义苛求他人，这实际上是极端自私，违背道理的诡辩。如果说"仁者爱人"是孔子的新创，那么"以义正我"则是董仲舒的发明。

4. 倡导节义情操

【原文】见利思义，见危授命。（《论语·宪问》）

士穷不失义，达不离道。（《孟子·尽心上》）

与其无义而有名分，宁穷处守高。（宋玉《九辩》）

与其生而无义，固不如烹。（《史记·田单列传》）

士穷乃见节义。（韩愈《柳子厚墓志铭》）

为草当作兰，为木当作松。（李白《于五松山赠南陵常赞府》）

时危见臣节，世乱识忠良。（鲍照《代出自蓟北门行》）

但使忠贞在，甘从玉石焚。（崔峒《刘展下判官相招以诗答之》）

名节重泰山，利欲轻鸿毛。（于谦《无题》）

三生不改冰雪操，万死常留社稷身。（于谦《谒仙师顾洞阳公祠》）

千锤万炼出深山，烈火焚烧若等闲；粉身碎骨全不惜，要留清白在人间。（于谦《石灰吟》）

丹可磨，而不可夺其色；兰可燔，而不可灭其馨；玉可碎，而不可改其白；金可销，而不可易其刚。（刘昼《刘子·大质》）

【诠解】这些言论都是高扬节义、气节精神的诗文警句，语义明白晓畅，无需多费言词疏通。可以说其中每一句都可以做我们的座右铭，每一句都体现出中华民族的传统道德和民族精神。让我们常常诵读这些铿锵作响的格言，铭记这些掷地有声的警句，永葆我们中华民族的崇高气节。

5. 文天祥的《正气歌》

【原文】天地有正气，杂然赋流形：下则为河岳，上则为日星；于人曰"浩然"，沛乎塞苍冥。皇路当清夷，含和吐明庭。时穷节乃见，一一垂丹青：在齐太史简，在晋董狐笔；在秦张良椎，在汉苏武节；为严将军头，为嵇侍中血；为张睢阳齿，为颜常山舌；或为辽东帽，清操厉冰雪；或为《出师表》，鬼神泣壮烈；或为渡江楫，慷慨吞胡羯；或为击贼笏，逆竖头破裂。是气所磅礴，凛烈万古存。当其贯日月，生死安足论。……哲人日已远，典型在夙昔。风檐展书读，古道照颜色。

【诠解】文天祥是宋代民族危亡背景下产生的一位民族英雄，他也是宋代最后一位理学家，他著名的诗句"人生自古谁无死，留取丹心照汗青"，已成为民族气节的象征。在生死存亡的重大关头，能做出宁死不屈、宁死不降的抉择，是因为文天祥胸中有一股"正气"。"正气"为何？即孟子所谓的"浩然之气"，即儒家千古传承的义德操守、气节观念。这一股"正气"犹如"一理"之分殊，它可以流布于河岳，亦可凝聚为日星，还可以表现为中华民族历史上一系列伟大人物的义举义行，他们是春秋时代不畏强权，秉笔直书的齐国太史和晋国董狐；秦末敢于用铁锥狙击暴君秦始皇的一介书生张良；西汉出使匈奴，拒不投降，杖汉节牧羊十九年的苏武；三国时情愿被砍头也不投降的将军严颜；西晋时用自己的鲜血反对权奸的嵇绍；唐代安史之乱时，带兵守卫睢阳城，切齿痛骂敌酋，把牙齿都咬碎的睢阳太守张巡；唐代守备北方边关，被叛军割了舌头还骂不绝口的常山太守颜杲卿。此外还有三国时的管宁，不肯和黑暗势力妥协，他廉洁的品格，有如冰雪之高洁；后汉蜀相诸葛亮鞠躬尽瘁，他的《出师表》之忠贞简直可以惊天地而泣鬼神；东晋爱国志士祖逖，誓师中流，其英雄气概直吞北方的胡羯；唐朝用笏板猛击谋反者，把奸贼打得头破血流的段秀实……这些典型人物的激烈壮举昭示人们：天地之间自古以来，就存在浩大的凛烈之气，它要存在于宇宙之间，它要流布于千秋万代，天地人间都靠这股正气而支撑、而维系。这股正气激昂起来，直冲日月之时，个人的生死安危何足挂齿！

礼：中华传统道德精神的骨干

　　中国自古倡导文明礼仪、尚礼守法的精神，向来有"礼仪之邦"的美誉。在中文里，有关礼的词语非常多，例如：礼仪、礼节、礼乐、礼貌、礼教、礼治、礼制、礼遇、礼堂、守礼、典礼、失礼、礼让、洗礼、丧礼、喜礼、礼俗、礼品、见面礼等等，足见"礼"已经深入到中国文化的方方面面。"礼"是中华文化和传统道德的独特标志，实现了社会长期的安定有序，促进了国家民族的团结统一。

　　"礼"字，繁体为"禮"，与甲骨文中的"豊"相通，原是指行礼的器皿。"礼"引申出践履与合理的双重含义。《说文解字》这样解释："礼，履也，所以事神致福也。""礼"的本义就是恭敬地做着向神祈福的事情，引申出安定社会秩序的合理规定。《礼记·礼运》中说道："夫礼之初，始诸饮食，其燔黍捭豚，污尊而抔饮，蒉桴而土鼓，犹若可以致其敬于鬼神。"最初的礼是从人们向鬼神献祭饮食开始。《礼记·表记》记载夏商两代重视鬼神，轻视礼仪，而周代总结历史教训，采取"尊礼尚施，事鬼敬神而远之"的政策，对鬼神敬而远之，把礼仪放在首要位置，礼的范围和作用从鬼神祭祀向人事生活扩展，开辟出一整套道德规范、国家制度和生活准则。此后儒家大力弘扬礼治教化，挖掘出"礼"背后的道德与政治内涵，"礼"最终成为中华文化和传统道德的骨干。

"礼"按照仁义的理念原则制定，直接切合社会生活的方方面面，内容具体而极其繁多。古代社会广义的礼，包括了一切政治制度、社会风俗、价值情感，以及日常生活方式等等，即所有社会大群的方方面面。例如周礼就是周朝从民众生活到国家政事，一整套的典章、制度、规矩、仪节。礼最早从原始巫术礼仪开始诞生，再演化出祭祀祖先和祈福天地，最后纳入全面的社会生活方式。礼的起源和核心是尊敬和祭祀祖先。祭祀文化，对神与祖先的恭敬与虔诚，由不自觉进至自觉的礼，是中国古代社会生活的巨大跨越。礼仪有极强的约束力和强制性，将对社会群体起到组织、调节的作用，延伸到普通民众现实生产、生活的调整和规范。

仁礼结合,内仁外礼:孔孟的创论

　　孔子小时候玩耍就喜欢模仿大人,陈列祭祀礼器,练习礼仪规范。司马迁在《史记·孔子世家》中记载:"孔子为儿嬉戏,常陈俎豆,设礼容。"后来孔子由礼而仁,创建仁学,其目的是要在根本上塑造更为坚实更为彻底的礼。他曾经以知礼著称于世。当时的鲁国司空孟僖子临死前,嘱咐他的儿子跟从孔子学礼。《左传》记载:"犁弥言于齐侯曰:孔丘知礼。"(《左传·齐鲁夹谷之会》)孔子自己也说:"夏礼,吾能言之,杞不足征也;殷礼,吾能言之,宋不足征也。文献不足故也,足则吾能征之矣。"(《论语·八佾》)探究孔子的人群相处学说,不能不探讨他的礼学。

　　虽然处在春秋礼崩乐坏的时代,孔子最推崇的礼仍是周礼,他曾说:"周监乎二代,郁郁乎文哉!吾从周。"(《论语·

八佾》)他认为周借鉴了夏商两代的治理和兴亡,制定了大量精美的礼义制度,让人无比敬佩信服。他把周礼作为重要的教学内容,坚持"为国以礼"(《论语·先进》)和"礼让为国"(《论语·为政》)的态度。孔子从周礼中在伦理上挖掘出了礼的精神实质,即具有永恒性的仁德理念,在政治上阐释了礼的社会功用,即具有一定普遍性的等级制度。《论语》的《八佾》篇和《礼记》是集中讨论孔子礼学的篇章,其中体现了孔子在礼学上的独特创论。孟子继承了孔子的礼学精义,特别突出了礼的因革损益和经权之辨。总体而言,孔孟有关礼的道德学说和政治伦理,可以概括为仁礼结合、内仁外礼的仁礼观。

一、礼的精神:"礼乐所以饰仁"

孔子固然非常重视人内在的仁心、忠恕等情感,同样也非常注重外部行为的礼仪规范,常将心与事结合起来,即事以论心,即心以推事,内外本末一以贯之,不偏不倚,从不畸轻畸重。孔子所谈的礼,无非是当时社会组织制度和人群生活方式,大到维系国家的法制,小到人民交往的礼仪。他一般言礼兼言乐,礼乐并用。就其礼的精神实质而言,孔子将礼与仁放在对等位置,可以归结为"礼乐所以饰仁"。

1. "治人之情"

孔子把礼的实质意义放在首位,礼源自于对人与事产生发自内心真诚的谦和与敬畏,礼的实质精神就是人道精神。"孔子曰:'夫礼,先王以承天之道,以治人之情。'"(《礼记·礼运》)所以孔子又说:"居上不宽,为礼不敬,临丧不哀,吾何以观之哉?"(《论语·八佾》)居于上位的君主,却不仁厚宽爱,行礼之时内心却不恭敬,遇到丧事毫无哀戚之情,该如何看待他呢?恐怕他算不上是人吧。所以礼乐之行,不在于玉器、锦帛、香花、祭品、钟鼓,唯有仁心才有意义。

> 人而不仁,如礼何?人而不仁,如乐何?(《论语·
> 八佾》)
> 礼云礼云,玉帛云乎哉?乐云乐云,钟鼓云乎哉?
> (《论语·阳货》)
> 祭如在,祭神如神在。子曰:吾不与祭,如不祭。
> (《论语·八佾》)

仁是人与人之间的真情厚意,由仁自然而然地表达于礼乐。仁心蕴蓄在人心之内,而礼乐要依凭器具与动作,才能表达于外部。玉帛钟鼓用来传导和表达人心的谦和与敬畏。舍却人心的谦和与敬畏,礼乐仅剩虚伪浮夸,让人厌弃和鄙视。孔子极重视祭礼,常以举祭礼为例。孔子平时从不讨论鬼神的有无,但祭祀之礼是对鬼神设立的,所以他说祭祖先时,就该当真有祖先们在受祭,祭天地之神,也好像真有神在面前。

人内在的精神该当要表露为形式,舒展在外表;外部的形式该当真实反映内部精神实质。这就是礼乐的起源,礼乐的可贵之处也正在于此。如果人心中没有此番真情厚意,何必虚假地行礼乐,强行礼乐也毫无意义。当然没有礼乐的表达,仁心也难以顺畅展现。孔子说:

> 恭而无礼则劳,慎而无礼则葸,勇而无礼则乱,直而
> 无礼则绞。(《论语·阳货》)

恭敬、谨慎、勇敢、直率本是内心的美德,如果没有礼的规范和疏导,完全可能会出现过失。恭敬却没有礼,就会叨扰不安;谨慎而没有礼,就会畏怯犹豫;勇敢而没有礼,就会犯上

作乱;直率而没有礼,就会着急伤人。可见,仁心不能没有礼的节制,仁与礼一内一外,相反相成,礼的精神实质即《礼记·儒行》所概括的"礼乐所以饰仁"。

2."绘事后素"

孔子注重礼的精神实质,严辨礼的本末,不反对礼的形式从俭,但严厉批判舍弃礼的实质。礼乐是修饰仁义的象征,借助礼乐的形式,使人情感顺畅,精神得到满足,行礼不能颠倒本末。

> 林放问礼之本。子曰:"大哉问! 礼,与其奢也,宁俭;丧,与其易也,宁戚。"(《论语·八佾》)

孔子的弟子林放请教礼的本质,孔子对这一问题既赞叹,又感慨,"大哉问"。林放正是出于世人竞相虚务礼的末节,而罔顾礼的实质精神,特意请教孔子礼的问题。孔子认为礼本于人心之仁,为求表达而有礼。奢华的礼过于看重文饰,流于浮华,外表有余内心不足;节俭的礼失于程式,嫌于非礼,外表不足内心尚在。两者相比,宁愿选择节俭的礼。对待死亡最能显见仁心,丧礼的治办与哀情相比,内心真挚的哀伤更为重要。

孔子要求人们先抓住礼的主体和根本,再遵守礼的形式和文节,从而以礼成事。他以绘画为喻,突出礼的主次本末。

> 子夏问曰:"巧笑倩兮,美目盼兮,素以为绚兮。"何谓也? 子曰:绘事后素。曰:礼后乎? 子曰:起予者商也! 始可与言诗已矣。(《论语·八佾》)

古诗中描写天仙般的女子,有甜美的脸盘,明亮的眼眸,还用素粉增添她的靓丽。孔子认为这就像绘画一样,先用五彩画笔在布上临摹绘出主体,再以黑白素色线条勾勒和烘托。礼也是先有礼的精神实质,后有礼的文节形式,唯有两者齐全,礼才是完美的。子夏领悟到拥有忠信品质的人,才可以真正学到礼仪,先有礼义,后有礼仪。忠信的美质配以礼的文节形式,正是孔子所说的"绘事后素"。

二、礼的功用:"克己复礼为仁"

孔子非常推崇"周礼":"周监乎二代,郁郁乎文哉!吾从周。"(《论语·八佾》)他认为西周的礼文化树立了完美的宗法等级规范,是最好的制度。

礼是以道德情感和道德理性为基础的。"仁"是"礼"的精神实质,"礼"是"仁"的操守节度,所以仁存于心,礼见于行,无仁则礼不兴,无礼则仁不见。孔子认为遵礼便是行仁,所以以礼为教。《论语》上记载:

> 颜渊问仁。子曰:"克己复礼为仁。一日克己复礼,天下归仁焉。为仁由己,而由人乎哉?"颜渊曰:"请问其目。"子曰:"非礼勿视,非礼勿听,非礼勿言,非礼勿动。"(《论语·颜渊》)

"克己"是个人克制自己的任性,战胜自己的贪欲,不为外物所引诱,不再为所欲为,从而消除破坏个人幸福和社会安定的"心贼"。"复礼"就是恢复一切言行的合理化,践履通往安乐社会的仁义道德。非礼的不看、不听、不说、不行,就是仁德的表现;约束自己来践行礼,就是仁,仁与礼是融合在一起的。在道德情感和道德理性基础上建立起来的礼,能促进人际关系的和睦和谐,增进民族的融合与国家的统一,遵循礼就是践履仁。

1. "礼之用,和为贵"

"礼"能很好地安排社会秩序,在于"礼"蕴含了"和"的伦理价值和社会功能。"礼"的功用在于能融和民族关系和社会关系。《论语》上说:

> 礼之用,和为贵。先王之道,斯为美;小大由之。有所不行,知和而和,不以礼节之,亦不可行也。(《论语·学而》)
>
> 子曰:君子无所争,必也射乎!揖让而升,下而饮,其争也君子。(《论语·八佾》)

古代圣王以融和为美,大小事情都通过融和的方式来执行,但只有用"礼"的明确条文,确立节制和限定的种种规范,"和"才有了坚实的依据。可见,"礼"具有融和的功能,还有按照应有的规定,明确各种限定的作用。

礼使人能执行"中庸"的行为模式。《礼记·中庸》记载:"喜怒哀乐之未发,谓之中;发而皆中节,谓之和;中也者,天下之大本也;和也者,天下之达道也。""中"与"和"正是礼所欲达到的生活准则。孔子也说:"不知礼,无以立也。"(《论语·尧曰》)当宰予认为父母亡故,在三年之内家人和亲属都要按照礼制要求治丧,时间太长了,孔子则严厉批评了宰予对"三年之丧"礼制的看法,直呼宰予为小人。"礼乎礼!夫礼所以制中也。"(《礼记·仲尼燕居》)"和"就是"中庸"、"中和",就是礼的行为模式。"知和而和,不以礼节之,亦不可行也。"(《论语·学而》)礼被视为人际关系中最公平中正的规则。

2."道之以德,齐之以礼"

面对春秋的礼崩乐坏,天下各级的名号、实权、本分(职责)错位,僭越逆乱,臣弑其君,子弑其父时常发生,孔子竭力主张"正名"、"克己复礼",提倡以礼治国,深刻揭示了礼的社会政治功用在于使全体社会成员按其"名分"而有序化。孔子说:"为国以礼。"(《论语·先进》)又说:"安上治民,莫善于礼。"(《礼记·经解》)在他看来,任何进步的社会都必然有一套普遍的价值观念和管理制度,周礼试图使各种等级身份明确清晰,同时又恰当适中,所以孔子非常推崇周礼,致力于正名复礼,也就是要让君臣父子各安其位,各得所宜,尊卑上下恰到好处,实现"君君、臣臣、父父、子子"(《论语·颜渊》)这种理想的制度伦理状态。

孔子认为使社会有序化的途径,相比行政的、刑罚的手段,道德的、礼教的方式是最好的选择。礼治可以包含法治,但法治不能代替礼治,礼是广义的法。礼是积极的,法是消极的。道家强调自由,法家只谈律法威严,而儒家则以道德折中道法二家,以礼治为主,法治为辅,扶植自由,注重标本兼治。所以孔子说:

> 道(导)之以政,齐之以刑,民免而无耻;道(导)之以德,齐之以礼,有耻且格。(《论语·为政》)

以行政命令引导民众,是居高临下,以法制禁令严惩不法,是威吓震慑,两者都是强制性的,虽然它们的作用迅速、有力,可以使百姓不敢冒犯,但民众内心毫无感化,不会心生愧疚。用道德来教导民众,则是人人心心相通,用礼制来齐一百姓,则是大家自觉节制,两者都是疏导性的,虽然它们起效缓慢,但能深入人心而长久有效,从内心深处对为非作歹产生厌恶羞耻,自主坚守规范而不出格。

> 定公问:君使臣,臣事君,如之何? 孔子对曰:君使
> 臣以礼,臣事君以忠。(《论语·八佾》)
> 上好礼,则民莫敢不敬;上好义,则民莫敢不服;上
> 好信,则民莫敢不用情。夫如是,则四方之民襁负其子
> 而至矣。(《论语·子路》)

居上位的君子只要能好礼,民众便没有不敬重的;只要能好
义,民众便没有不服从的;只要能信,民众便没有不注重真诚
的。政治唯有如此,天下民众都会拖家带口跑来申请入籍。
这是因为"礼"能使各个阶层等级的人各安其位,各得其宜,
尊卑上下恰到好处,实现"君君、臣臣、父父、子子"的社会秩
序,既有等级秩序,又有和谐统一。孔子从周礼中阐释出"仁
"的理念,用"仁"补充"礼",使"礼"文化更加充实,达到新的
高度。孔子说:"礼云礼云,玉帛云乎哉?"(《论语·阳货》)
"人而不仁,如礼何?"(《论语·八佾》)人只有内心充满仁爱
之心,礼才有实际的意义,否则只是外在形式。

仁是礼的意义所在和内在根据,礼是仁的具体规范和实
现方式。"仁"正是孔子从传统礼治中挖掘出来的合理内核,
是匡正社会现实的理想观念和价值准则。由礼而仁,是孔子
最伟大的发明。孔子说:"人而不仁,如礼何?"(《论语·八
佾》)"仁"是"礼"的根本;一个人没有仁心,所行礼仪也没有
意义。孔子具体就"仁"做了大量的创新。原本的"仁"仅仅
是"爱亲",局限于自然血缘之情,同作为社会习俗和规范的
"礼"有很大的差距。只有孔子将"仁"开拓出"爱人"含义,
"仁"融通了"礼",从而实现了先秦思想史的一次飞跃。如果
说"礼"是外在的社会规范,那么"仁"则是内在的个体德性。

三、礼的变通:"鲁一变至于道"

孔子并不是国人所认为的保守顽固之人,他考量礼与时、礼与事,提出了礼的变通,即变革之道和经权之道。《礼记》记载孔子的言论:

> 仲尼曰:君子中庸,小人反中庸。君子之中庸也,君子而时中;小人之中庸也,小人而无忌惮也。子曰:中庸其至矣乎! 民鲜能久矣!(《礼记·中庸》)

"中庸"的观念是基于"中节"的相对观念。从礼的角度而言,"中庸"就是人的情感,人的一切举动,要致中和,发中节,所以礼会因人因时因地而不同。礼必定会应时而革,因事而宜,这就是礼的变革和经权。

在礼崩乐坏的春秋乱世,孔子竭力主张"克己复礼",并对周礼做了创造性的诠释和转化,挖掘出了礼背后的仁道精神实质,仁道为新礼的变革阐释出不变的总原则,是变革之道和经权之道所在。在现今看来,古代的礼教制度有不少内容深烙着尊卑等级观念,更有许多早已过时的繁文缛节,现代的社会和国家自然不必注重这部分内容,但礼所标明的社会道德文明和个人素养,在中国几千年的历史中促进了人民安居乐业,社会安定和谐,国家团结统一,使中国文化"可大可久",成为世界唯一幸存的文明古国。从礼的变革与相通之中,查看礼的普世价值和精神实质,正是任何人类文明进展中所应当取精用宏的意义所在。

1. 变革之道

春秋战国时代是社会剧烈变革与转换的时代,随着诸侯国新兴的封建生产关系蔓延,周王室原有的实力渐趋衰微,时常有诸侯越礼僭礼发生,原有的周礼不断遭到破坏,新的经济关系、政治制度和价值观念开始显现出来。但礼仍然还是社会生活和国家治理的方式,只是新礼在许多内容上与周礼迥异。也就是说,在社会转型时期,原有的制度和系统被打破,新建立起来的社会仍然需要某种制度和系统,礼只是更换了具体内容和形式,周礼所蕴含的普遍意义和普世价值则没有改变。

人类社会必定有礼,而礼必随时代变革,但变之中仍有不变之礼的精神实质和道德原则。这一精神正是孔子所说的"道"。他所在的春秋时代,部分氏族贵族抛弃陈规,大量地开辟土地,经营商业贸易,迅速富裕壮大,成为新兴的地主阶级。孔子清醒地认识到时代变迁的大势不可违逆,唯有顺势变革才有出路。孔子说:

> 礼,时为大。(《礼记·礼器》)
> 齐一变至于鲁,鲁一变至于道。(《论语·雍也》)

他认为齐国富有但急功近利,民众喜欢浮夸虚华,而一旦厉行变革就可以像鲁国那样注重礼教,推崇信义。鲁国虽然弱小,一旦鼎故革新,就能以仁道彪炳千秋。仁道正是任何时代的礼所不变的精神实质和道德原则。

时代在发展,社会在进步,礼也必然会演化,但是礼所体现的普遍意义和普世价值不容变。孔子说:

> 五帝殊时,不相沿乐;三王异世,不相袭礼。(《礼记·乐记》)
> 殷因于夏礼,所损益,可知也;周因于殷礼,所损益,可知也;其或继周者,虽百世可知也。(《论语·为政》)

他以夏商周三代的礼仪制度变迁证明了他的观点。历史演进必然有所承袭,也有所增减损益。殷礼沿袭夏礼,有所损益之处,可以考证得知。周礼因袭商礼,有所增减之处,同样可以考证获悉。将来继周礼之后的礼制也该大体可以预知。事实上,周朝之后,社会形态发生改变,礼的内容也应时而变,然而礼一直作为影响中国数千年的观念和治理方式则没有变过。

孔子正是通晓且融通夏商周三代之礼,深刻领悟其中的精髓,最终由礼而仁,从现实具体的礼制中挖掘出最为根本的仁道精神,揭示出了新礼的变革之道。孔子认为春秋时期礼崩乐坏的原因在于"不仁",在于违背了礼的精神实质。他说:"人而不仁,如礼何? 人而不仁,如乐何?"(《论语·八佾》)"礼云礼云,玉帛云乎哉? 乐云乐云,钟鼓云乎哉?"(《论语·阳货》)在礼乐的玉帛、钟鼓背后是仁道精神,离开了仁的礼乐徒有其表,名不副实。孔子把"仁"的观念引入"礼"中,改变"旧礼"的形式主义缺陷,去除其中的"不仁",通过名至实归的正名,树立包含"仁"这一精神实质的"新礼",实现"非礼勿视,非礼勿听,非礼勿言,非礼勿动"(《论语·颜渊》)的礼教回归,重新平定天下秩序。总之,礼虽然随时俗变迁,但礼的根本则从不变换。

2. 经权之道

礼是适宜于履行的,合于道理的,体乎人情的,所以礼除了会应时而变,还要因事而变,这就是礼的经权之道。它强调了事情的相对性,也即孔子所谓的"中庸之道"。孔子说:

可与共学,未可与适道;可与适道,未可与立;可与立,未可与权。(《论语·子罕》)

"可与立，未可与权"中的"立"与"权"，就是指对于礼与事的变通。"立"是"立于礼"（《论语·泰伯》），"权"是权衡轻重。处于非常巨变之中，先权衡事情的轻重，而后明白礼义之正。但如果不是对礼义精纯娴熟，就不可能做到恰当的"权"，而自称识时达变，借口权变，实际上是小人之无忌惮，所以孔子说可以一同守礼强立不变的人，未必能与他一道权衡轻重，共度时变艰难。

礼的实质道义高于礼的形式规定，这就是经权之道所在。孔子说："中庸之为德也，其至矣乎！民鲜久矣。"（《论语·雍也》）中庸之德就是平实之德，非至高难能，但一般民众缺乏这种道德已经太久了。《礼记》专门记载孔子及弟子们对礼的探讨，其中就有这样的话：

> 礼也者，义之实也。协诸义而协，则礼虽先王未之有，可以义起也。（《礼记·礼运》）
>
> 凡居民材，必因天地寒暖燥湿、广谷大川异制。民生其间者异俗：刚柔轻重迟速异齐，五味异和，器械异制，衣服异宜。修其教，不易其俗；齐其政，不易其宜。（《礼记·王制》）

礼源自于仁德理念、义德准则、人道精神，在圣人制定礼之前，就先有礼的精神实质，所以通晓了礼的精神实质就懂得经权之道，而不必拘泥于礼的规范。每个地方都有其特定的地形、气候、民风、习俗，传播礼仪教化，完全可以视情况，"修其教，不易其俗；齐其政，不易其宜"。如此平实的作风和涵养，即是中庸之德，礼才能真正得到落实。

孟子继承孔子的理念，也反对仁者死守形式化的礼而不通中庸之德、经权之道。孟子认为："非礼之礼，非义之义，大人弗为。"(《孟子·离娄下》)如果形式上的礼违背了礼的仁道实质,就按礼的精神实质去做。如果旧礼不合时宜,就应该否定它,改革它。"男女授受不亲,礼也;嫂溺则授之以手者,权也。"(《孟子·离娄上》)礼规定非夫妇关系的成年男女,不得私下有相互情感上的给予和接受,以及直接的身体亲密接触,但当姑嫂溺水时,就不必死守这种礼节,而当遵照礼的仁义本质,施以援手积极救助,这就是经权之道。孟子还说:

> 杨子取为我,拔一毛而利天下,不为也。墨子兼爱,摩顶放踵利天下,为之。子莫执中,执中为近之,执中无权,犹执一也。所恶执一者,为其贼道也,举一而废百也。(《孟子·尽心上》)

对礼的执中守一,就是懂得经权之道,坚持礼的中道,维护礼的本质。杨朱自私自利,拔一毛利天下而不为,是执仁义的另一端;墨子兼爱非攻,毫不利己专门利人,即使头破血流都要为之,也是持仁义的一偏。子莫持折中的立场,已经非常接近"中庸之道"了,但如果万事只讲折中,不懂经权变通之道,还不是真正的"中道"。杨朱、墨子、子莫都是执着于一点,而不通权变,废弃了事情的诸多方面,也还是一偏,不是"中道",三者都有损于道义而不可取。自私自利、道德的高标准与无原则的折中,都无益于道德的实施。守礼也是如此,臣对君尽礼之忠,君对臣行礼之仁,双方是对等的,即所谓"君之视臣如手足;则臣视君如腹心;君之视臣如犬马,则臣视君如国人;君之视臣如土芥,则臣视君如寇雠"(《孟子·离娄下》)。所以伯夷面临治世则入世进言,遭逢乱世则退隐山林,被称为"圣之清者"(《孟子·万章下》)。旧礼不合时宜，"有故而去"。

礼的变通，不论是考量礼与时的变革之道，还是权衡礼与事的经权之道，都要依赖"是非之心"，需要"四基德"的智德，才能进行分辨，所以非常看重礼之变通的孟子，在仁义礼诸德之后加上了智德，这也是从孔子到孟荀，再到董子以及宋明诸儒都非常强调为学的原因之一。

化性起伪,以礼治国:荀子的贡献

荀子(约前313—前238)比孔子、墨子、孟子出生更晚,生活于诸侯割据即将结束的大一统前夕。荀子作为先秦儒家的最后一位大师,在兼收诸子各家学说基础上,融会出一套独具特色、适应新时代的儒家礼治学说。我们不难发现:孔子由礼而仁,新创仁学,但以"克己复礼"为归宿。孟子由仁而义,仁义并举,但以"舍生而取义"为旨趣。荀子则由义而礼,阐释礼义道德,把以礼治国作为毕生追求。荀子在"隆礼"的主导思想下,构建仁、义、礼统一的道德规范体系。在孔子贵仁、孟子尚义、荀子隆礼的思想发展过程中,事实上荀子是站在更高的层面,重新回到了孔子的礼治思想,在道德伦理上为国家统一做了理论的论证和设计。

"礼"是荀子道德体系和政治学说的核心范畴。荀子用性恶论说明"性伪之分",阐释礼的起源;用道德理性和圣人教化的礼义论,阐述礼的内容;用"化性起伪"和"积善成德"说明强学重行,完成礼的体认和践行,阐明礼的修养。由此荀子构建了完整的礼学体系。

一、礼的起源:"性伪之分"

荀子阐释"礼"的根源,不是依据神秘的天道论,也不是导源于先验的心性论,而是根据社会性的"伪"与"分"。荀子按先天与后天的区分,反驳了孟子人性善的观点,证明包括仁、义、礼在内的所有道德都是后天人为教化的结果,都是社会等级划分的产物,而且强调三者是相通的,都统一于礼。

1. "人之性恶明矣"

荀子首先区分了"性"与"伪"的界线。"性伪之分"实质是天人之分：

> 孟子曰："人之学者，其性善。"曰：是不然。是不及知人之性，而不察乎人之性、伪之分者也。凡性者，天之就也，不可学，不可事。礼义者，圣人之所生也，人之所学而能、所事而成者也。不可学、不可事而在人者谓之性，可学而能、可事而成之在人者谓之伪，是性、伪之分也。（《荀子·性恶》）

在荀子看来，孟子要求人们学习和养成遗失的善良本性，这是不对的。因为孟子不明白人的先天本性和后天人为之间的区别。人的本性是属于天然造就的东西，不是后天可以学到的那部分，不是人为能够造作的。礼义是后天人为的，是由圣人创建，需要人们学会而做到的。天所赋予的"生之所以然者"（《荀子·正名》），完全属于先天的规定性，是人不能学到、不能人为造作的"性"；而礼义道德，人可以学会、可以通过努力从事而做到的，是"伪"，即人为。

荀子明确了人的"性"范围和内容。他所谈的"性"其实就是人的自然属性，包括了生理本能和心理本能。

> 若夫目好色，耳好声，口好味，心好利，骨体肤理好愉佚，是皆生于人之情性者也；感而自然，不待事而后生之者也。（《荀子·性恶》）
>
> 凡人有所一同：饥而欲食，寒而欲暖，劳而欲息，好利而恶害，是人之所生而有也，是无待而然者也，是禹、桀之所同也。（《荀子·荣辱》）

眼睛喜欢看美色，耳朵喜欢听乐声，口嘴喜欢尝美味，心里喜欢求财利，身体肌肤喜欢感受愉悦，这些都是天生的性情，自然而然的感受，不需要后天的人为。人都懂得饿了要饮食，冷了要保暖，累了要休息，好利恶害是天赋予人具有的，大禹和夏桀都不例外。

荀子对"性"的道德意义和性质做了"恶"的评定。那么这些人性的欲望该如何评价呢？显然荀子认为人的这些自然属性是恶的。这些荀子的观点同告子对人性的看法是一致的，他反对孟子将人性认定为善，认为顺从自然本性的发展，就必然会产生争夺、残杀、淫乱等众多恶行。人性正是有待通过礼仪道德的矫正，在后天人为改造为善的。他说：

> 人之性恶，其善者伪也。今人之性，生而有好利焉，顺是，故争夺生而辞让亡焉；生而有疾恶焉，顺是，故残贼生而忠信亡焉；生而有耳目之欲，有好声色焉，顺是，故淫乱生而礼义文理亡焉。然则从人之性，顺人之情，必出于争夺，合于犯分乱理而归于暴。故必将有师法之化、礼义之道，然后出于辞让，合于文理，而归于治。用此观之，然则人之性恶明矣，其善者伪也。（《荀子·性恶》）

人的本性其实是恶的，而人类那些善良的行为和社会秩序则是人为努力改造的结果。依顺人天生喜欢财利的本性，争抢掠夺就产生，从而推辞谦让就必然消失；依顺妒忌憎恨的心理，残杀陷害就产生，而忠诚守信就消失了；依顺耳朵、眼睛对音乐、美色的贪欲，淫荡混乱就产生，而礼义法度就消失了。以上这些本性和情欲的泛滥，社会最终趋向于暴乱。必定等到师长施加法度的教化和礼义的引导，普通民众才会懂得推辞谦让的必要,遵守礼法,最终社会走向安定太平。可见,人邪恶的本性必定要经历后天人为的改造,人们的那些行为才可能是善良的。

2. "制礼义以分之"

荀子进一步论证礼义道德是人为教化。孟子说人的本性是善的,只是在后天中会丧失、遗忘自己的本心,才会有作恶。荀子则反对说:既然孟子的这种人性"生而离其朴、离其资,必失而丧之"(《荀子·性恶》),那就不应该称之为人的本性,只有"不事而自然"的才是真正的人性。

> 今人之性,饥而欲饱,寒而欲暖,劳而欲休,此人之情性也。今人饥,见长而不敢先食者,将有所让也;劳而不敢求息者,将有所代也。夫子之让乎父,弟之让乎兄;子之代乎父,弟之代乎兄,此二行者,皆反于性而悖于情也。然而孝子之道,礼义之文理也。故顺情性则不辞让矣,辞让则悖于情性矣。用此观之,然则人之性恶明矣,其善者伪也。(《荀子·王制》)

> 礼起于何也? 曰:人生而有欲;欲而不得,则不能无求;求而无度量分界,则不能不争;争则乱,乱则穷。先王恶其乱也,故制礼义以分之,以养人之欲、给人之求,使欲必不穷乎物,物必不屈于欲,两者相持而长。是礼之所起也。(《荀子·礼论》)

人的本性是饿了要吃,冷了要暖,累了要歇。但是现在我们见了长辈没有去吃,要礼让长辈,累了也不歇,还要替代长辈。这样做的两种情形,都违背人原本的性情,正是因为后天礼义道德的教导,可见辞让之心不是出于孟子所说的人性,而是人为的缘故。在道德理性和圣人教导之下,制定礼义名分，划分适宜的等级秩序，调养人们的欲望，满足人们的要求，解决有限之财与无限之欲的冲突，从而去除欲望导致的纷争、祸乱、穷困，使"上贤禄天下，次贤禄一国，下贤禄田邑，愿悫之民完衣食"（《荀子·政论》），使物资和欲望两者在互相制约中增长。因此，礼的起源，归根到底，是古圣先贤制止由人性无穷欲望导致的祸乱而制定的节度。

荀子的"性伪之分"将"性"规定为人天生之性，即自然属性，进而否定孟子先天的性善论，把"伪"提到社会道德的重要地位，从而为后天社会的礼义制定、道德教化和学习修养开辟了空间。荀子的性恶论和"性伪之分"，比孟子的性善论和"四端"说更为合理，比各种道德的先验论和神秘的天道论更为深刻。

3. "制礼反本成末"

荀子建构了一个以礼为核心的道德体系。在荀子看来，虽然人性是恶的，人都趋利避害，大家无限追求欲望而产生冲突，但古圣先贤启发民众仁爱之心，倡导民众行使公平适宜的道义准则，进而教导日常生活言行举止具体的礼节，最终最大限度地地满足了人生欲望，化解人际冲突，安定社会秩序。

荀子分析了仁、义、礼的关系，突出礼的内涵是源自于仁、义，从发明作为理念的仁，到阐释作为准则的义，最后规定作为制度的礼，是一个从根本源头到现实具体的过程，即"制礼反本成末"，因此，仁、义两者最终都在礼中得到完整的再现，仁、义、礼三者是相通的，统一和完成于礼。荀子说道：

> 仁，爱也，故亲；义，理也，故行；礼，节也，故成。仁有里，义有门。仁，非其里而虚之，非礼也；义，非其门而由之，非义也。推恩而不理，不成仁；遂理而不敢，不成

义；审节而不知，不成礼；和而不发，不成乐。故曰：仁、义、礼、乐，其致一也。君子处仁以义，然后仁也；行义以礼，然后义也；制礼反本成末，然后礼也。三者皆通，然后道也。（《荀子·大略》）

仁是爱人，所以能和人互相亲近；义是合乎道理，所以能够实施；礼是节度，所以能够成功。人们按照适宜的道理，推行仁爱，遵照礼制的节度，践行道义。事实上仁、义、礼都是要实现善的圆满，它们的目标是一致的。只有三者相互贯通了，才真正是人道的实现。而礼的制定是从仁义本源开始追溯，最后完成于行为方式的细节，所以礼制包括了仁义的本质和礼仪的方方面面，所有道德最终都以礼为最高准则，礼实现了仁、义、礼的统一。由此，荀子总结出了先秦社会以礼为核心的宗法等级道德体系。

二、礼的制定："行义以礼"

"礼"的作用在于"分"，"分"的准则在于"义"，所以礼的制定归根到底是"行义以礼"。礼制的总精神是"义分则和"，礼制的总特征是"贵贱有等"，礼制的价值是"人道之极"。

1. "义分则和"

荀子提出了"义分则和"的道德命题。"义"是"礼"的伦理根据，"分"是"礼"的制度手段，"和"是"礼"的道德目标。所谓"义分则和"，是指人与人之间只有进行适宜的名分划分，才能形成社会，并实现各等级之间的和谐。荀子指出，礼制的总精神就是"义分则和"，就是人群各等级各安其分，各得其宜，互不侵犯，达到社会和谐。

首先，"义分"是必要的，人也只有"义分"才能为人，才能形成社会组织。这里的"分"包含了等级名分和权利义务，也有社会分工合作的意思，而"义分"就是指礼义。在荀子看来，人都有好利之性，利欲追求必然导致争乱，而礼义道德的产生，以道义划分名分和权责，制止了争乱，使人类区别于动物，能够社会群居，组建家庭，走向文明。所以荀子说：

> 水火有气而无生，草木有生而无知，禽兽有知而无义；人有气、有生、有知，亦且有义，故最为天下贵也。力不若牛，走不若马，而牛马为用，何也？曰：人能群，彼不能群也。人何以能群？曰：分。分何以能行？曰：义。（《荀子·王制》）
>
> 人之生不能无群，群而无分则争，争则乱，乱则穷矣。故无分者，人之大害也；有分者，天下之本利也。（《荀子·富国》）

荀子认为人性是天生的自然属性，跟动物差不多，但人之所以为人，人与动物不一样，之所以成为万物生灵中的尊长，在于人是社会群居的。人之所以能社会群居，在于社会有等级划分，有秩序安排。社会之所以能够划分等级秩序，在于人类有后天教化的道义。荀子还说过："人之所以为人何也？曰：以其有辨也。"（《荀子·非相》）这里的"辨"就是"分"，人因为通过分工合作构成了社会，才从动物界中独立出来。人要生存，就必须要组成社会；而要组成社会，就必须要按照道义约定等级名分和权责，才能制止争夺动乱。所以等级名分是社会保存和人生存的根本利益所在。

其次，只有"义分"才能实现"和"，社会也只有"义分"才能强盛。"和"就是通过在人群之间加以种种分别，实现人际关系的调和、融和。荀子说：

故义以分则和,和则一,一则多力,多力则强,强则胜物,故宫室可得而居也。故序四时,裁万物,兼利天下,无它故焉,得之分义也。(《荀子·王制》)

全社会依据道义确定了名分和权责,人们就能和睦协调,就能团结一致,进而力量就大增、强盛,就能战胜自然外物。正因为如此,人才有可能在房屋中安居乐业、和谐相处。人们之所以能够从容地依照季节变化,安排日常生产和生活,管理社会事务,使全天下都获益,也还是遵守了名分和道义的缘故。这种社会秩序是建立在"义分"基础上的,是荀子"礼以定伦"(《荀子·致士》),是孔子的"礼之用,和为贵"(《论语·学而》)。

这种让人"能群"而"分"而"和"的"义",不是别的,正是"礼",它不是先天固有的自然心性,完全是后天人为的社会教化。可见"义分"对于人和社会来说,是至为重要的,"礼"就是遵照"义分则和"的总精神制定出来的。荀子紧紧抓住了"礼"的社会性质,突出了"礼"的社会功能,这一点远远高出了其他儒家。

2."贵贱有等"

荀子认为,礼的制定就是经过"义分"之后,使人们"贵贱有等"。他所说的"贵贱"仅仅是指社会职位分工的高低,不表示道德价值评判上的优劣。荀子说:"先王恶其乱,故制礼义以分之,以养人之欲,给人之求。"(《荀子·礼论》)此处"制礼义以分之",不是所有人的均分,而是有等级的秩序。有限的社会资源应该按照礼义制度,采取等级制度形式,实行有节度的分配。正如他自己所说:"上贤禄天下,次贤禄一国,下贤禄田邑,愿悫之民完衣食。"(《荀子·政论》)从上等的贤才,到次等的贤才,再到下等的贤才,最后直到普通的百姓,他们的衣食财物是不一样的,分别对应的是从天下供给俸禄,到一国供给俸禄,再到城邑供给俸禄,最后自己供给衣食财物。荀子还说:"衣服有制,宫室有度,人徒有数,丧祭械用,皆有等宜。"(《荀子·王制》)可见,解决社会混乱的"制礼义以分之",是建立在"贵贱有等"基础上的。

荀子对"贵贱有等"的礼制做了充分的描述和论证。他说:

> 分均则不偏,势齐则不壹,众齐则不使。有天有地而上下有差,明王始立而处国有制。夫两贵之不能相事,两贱之不能相使,是天数也。势位齐而欲恶同,物不能澹则必争,争则必乱,乱则穷矣。先王恶其乱也,故制礼义以分之,使有贫富贵贱之等,足以相兼临者,是养天下之本也。《书》曰:"维齐非齐。"此之谓也。(《荀子·王制》)

权势、财物等所有的东西,都平均分配,搞平均主义,所有人都相互均等,做到绝对公平,结果社会的劳动任务因无法下达和敷衍而不能完成,国家因意见无法达成一致而无法成为统一的国家。所谓"两贵之不能相事,两贱之不能相使,是天数也",同样尊贵或同样卑贱的两人,不会互相待奉。天与地不相同,人与人有差异,社会各阶层必然也有上与下,才会秩序井然。只有恰当的等级差别,才能避免战乱,上下齐一,社会安定。因此,古圣先贤"行义以礼","制礼义以分之",划分人们的名分和权责,贫富有别,"贵贱有等",相互督促,从而天下得到根本的治理。因而《尚书·吕刑》说"维齐非齐",即绝对的平等不仅不是真正的平等,而且也做不到,唯有有差别的平等才是可能的平等。

荀子还具体阐释了"贵贱有等"的划分方法,如按照贤能、亲疏、长幼等方面,安排职位权责、俸禄财物的差别等级。

> 礼者,贵贱有等,长幼有差,贫富轻重皆有称者也。故天子袾裷衣冕,诸侯玄裷衣冕,大夫裨冕,士皮弁服。德必称位,位必称禄,禄必称用。由士以上则必以礼乐节之,众庶百姓则必以法数制之。(《荀子·富国》)
>
> 故尚贤使能,等贵贱,分亲疏,序长幼,此先王之道也。故尚贤使能,则主尊下安;贵贱有等,则令行而不流;亲疏有分,则施行而不悖;长幼有序,则事业捷成而有所休。故……义者,分此者也。(《荀子·君子》)

礼意味着高贵的和卑贱的有不同的等级,年长的和年幼的有一定的差别,贫穷的和富裕的、权轻势微的和权重势大的都各有相宜的规定。就穿戴而言,天子穿大红色的龙袍、戴礼帽,诸侯穿黑色的龙袍、戴礼帽,大夫穿裨衣、戴礼帽,士穿白色褶子裙,戴鹿皮做的帽子。同时,德行责任必须和职位相称,职位必须与俸禄相称,俸禄必须与费用相称。古代圣王之道,就是崇尚贤士,任用能人,按照贵贱划分等级,区分亲近和疏远,对长幼排序。唯有如此,君主才显尊贵,臣民才会安宁,政令才能畅行而不滞留,恩惠才能恰当赐予而不违背情理,事业才能迅速成功而有了休息的时间。礼义就是恰当地把握这些正当名分和权责。

3."人道之极"

荀子极其重视"礼",认为礼使得人们群居在一起而能协调一致,礼制是人类道德的终极顶端,即所谓"礼者,人道之极也"(《荀子·礼论》)。他从礼治与治国、礼治与法治关系等方面,论证了礼制和礼治的重要性。

首先,荀子认为礼是人之为人的依据,是人们必须遵循的最高行为准则和道德规范,是国家治理的根本制度,是社会之所以"能群"的保证,是仁义道德的最终形式。他论述道:

> 礼者,人之所履也。失所履,必颠蹶沉迷。所失微而其为乱大者,礼也。礼之于正国家也,如衡量之于轻重也,如绳墨之于曲直也。故人无礼不生,事无礼不成,国家无礼不宁。(《荀子·大略》)
>
> 国无礼则不正。礼之所以正国也,譬之犹衡之于轻重也,犹绳墨之于曲直也,犹规矩之于方圆也。(《荀子·王霸》)
>
> 礼者,政之挽也。为政不以礼,政不成矣。(《荀子·大略》)
>
> 礼者,治辨之极也,强国之本也,威行之道也,功名之总也。王公由之,所以得天下也;不由,所以陨社稷也。(《荀子·议兵》)

礼是个人立身处事必须按照履行的基础原则。失去礼这一立身基本原则的人,一定会跌倒沉溺,陷入危难之中。对礼稍有偏差,就可能会导致莫大的祸乱。礼对国家的整饬,就像秤对于轻重一样,就像墨线对于曲直一般,是必不可少的。所以人不理解礼义就不能在社会上生存,办事情不懂得礼义就不能办成,国家没有礼就不得安定。礼是政治的根本原则,不按照礼义行事,一切政策就无法实行;是整治社会的最高准则,是强盛国家的根本措施,是树立威严的有效办法,是成就功业名声的要领。天子诸侯遵行了礼,能取得天下,否则会丢掉国家政权。

其次,荀子认为礼治高于法治。荀子受法家思想比较深,但不同于法家只讲法不讲德,他坚持儒家重德的本色。他说:

> 彼国者亦有"砥厉",礼义节奏是也。故人之命在天,国之命在礼。人君者,隆礼尊贤而王,重法爱民而霸,好利多诈而危,权谋倾覆幽险而亡。(《荀子·强国》)

国家必须用道德教化来打磨,礼义法度就是国家的"磨刀石"。人的命运取决于上天,国家的命运取决于礼义。君主只有推崇礼义,尊重贤人,才能称王于天下;仅是注重法治,爱护人民,只能称霸于诸侯。喜欢财利,好搞欺诈,国家就有危险;玩弄权术,坑害百姓,阴暗险恶,国家必定会灭亡。

可见,荀子极其重视礼对于个人、社会、国家的价值,把礼抬高到了无以复加的"人道之极"的高度。

三、礼的修养:"化性起伪"

荀子对礼的修养探讨,也就是他对整个礼义道德的修养观点。对此他也有独特而全面的见解,从外部的环境选择到内在的学习思考,再到主动的实践积累,方方面面他都做了论述。

由于荀子认为礼义道德不是源于人性,而是跟法律一样导源于个人意识之外的社会规范,是圣人的人为教化,"凡礼义者,是生于圣人之伪,非故生于人之性也"(《荀子·性恶》),所以礼义道德的修养不在于孟子的"尽心知性",更不能返回恶的人性。荀子说:

> 性也者,吾所不能为也,然而可化也;情也者,非吾所有也,然而可为也。注错习俗,所以化性也;并一而不二,所以成积也。习俗移志,安久移质;并一而不二,则通于神明,参于天地矣。(《荀子·儒效》)

趋利避害,是人的天性,无法移去,"然而可化也",人在后天可以通过教化而改造这一人性。礼义道德,人生下来时"非吾所有也,然而可为也"。既然人先天的本性可教导和转化,人后天的礼义道德又可学习和践行,那么礼的修养完全可以通过"注错习俗"、"强学而求"、"积善成德"等方式,"化性起伪"来实现。

1. "注错习俗"

所谓"注错习俗",是指人们原本拥有同样的先天才智和本性,但由于后天生活中受环境影响不同,对所关注的事物不同,处理事情的措施选择不同,久而久之产生不同的习惯,形成不同的风俗,进而有了不同的礼义德行。荀子倡导"谨注错,慎习俗"(《荀子·儒效》),尽可能地接触好的社会环境和习惯风俗,造就人高尚的礼义道德。荀子实际上是充分发挥了孔子"性相近也,习相远也"(《论语·阳货》)的论断。

荀子认为人性是同一的,由于人后天长期的安排措置以及习惯风俗,改变了思想和本质,"注错习俗,所以化性也","习俗移志,安久移质"(《荀子·儒效》)。

> 凡人有所一同:饥而欲食,寒而欲暖,劳而欲息,好利而恶害,是人之所生而有也,是无待而然者也,是禹、桀之所同也。……可以为尧、禹,可以为桀、跖,可以为工匠,可以为农贾,在势注错习俗之所积耳。(《荀子·荣辱》)

夫不知其与己无以异也,则君子注错之当,而小人
注错之过也。故孰察小人之知能,足以知其有余可以为
君子之所为也。譬之越人安越,楚人安楚,君子安雅;是
非知能材性然也,是注错习俗之节异也。(《荀子·荣
辱》)

人的智慧、思虑、资质、本性都是一致的,人们凭借这些相同
的智慧、思虑、资质、本性,可以成为仁德的尧舜,可以成为残
暴的桀跖,可以成为工匠、农民、商人,这一切都取决于他们
对这些天生的资质和条件不同的关注和安置,以及习俗的长
期积累。人们不知道君子的资质才能与自己并没有什么不
同,只是君子将它措置安排得恰当,而小人将它措置安排偏
差了。事实上小人的智慧和才能,是可以做君子所做的一切
的。一个国家的人习惯于待在该国,城市里的人不习惯农村
的生活,而农村的人也不习惯在城市生活,这并不是他们的
智慧、资质、本性有什么不同,仅仅是因为他们对自身思想的
措置以及习俗的要求不同。

礼的修养需要注重生活环境的氛围,需要注意日常细节
的浸染。所谓"蓬生麻中,不扶而直"(《荀子·劝学》),"故君
子居必择乡,游必就士,所以防邪僻而近中正也"(《荀子·劝
学》),都是"注错习俗"的表现。

2. "强学而求"

荀子非常看重礼的学习和探索,把"强学而求"视为"化
性起伪"的根本途径和方法。《荀子》的第一篇就是《劝学》,
用大量篇幅论证了学习的重要性,如"吾尝终日而思矣,不如
须臾之所学也","学不可以已","君子博学而日参省乎己,则
知明而行无过矣"(《荀子·劝学》)等等。因此礼的修养也脱
离不开通过学习来求得,即"强学而求"。

首先，荀子确认了学习礼的可能性。对任何人来说，仁、义、礼都具有可以知晓、可以做到的性质，而作为普通人，也都具有可以了解仁义法度的资质，都具有可以做到仁义法度的才能，所以人人都可以成为禹也就很明显了。

> 今人之性固无礼义，故强学而求有之也；性不知礼义，故思虑而求知之也。（《荀子·性恶》）
>
> 凡禹之所以为禹者，以其为仁义法正也。然则仁义法正有可知可能之理，然而涂之人也，皆有可以知仁义法正之质，皆有可以能仁义法正之具；然则其可以为禹明矣。（《荀子·性恶》）

荀子说人对仁义道德具有"可以知""可以能"的资质、素养，就是指人有道德理性的能力，即"四基德"的智德，同孟子所说的"是非之心"，是相通的。正是对道德的理性能力使人可以"强学而求"，可以"化性起伪"。

其次，荀子申明了学习礼的重要性。他认为君子不是天生的，君子之所以为君子在于他善于学习，而《礼》就是最重要的学习内容和对象。荀子说：

> 学恶乎始？恶乎终？曰：其数则始乎诵经，终乎读《礼》；其义则始乎为士，终乎为圣人。……《礼》者，法之大分、类之纲纪也。故学至乎《礼》而止矣，夫是之谓道德之极。（《荀子·劝学》）

学习的科目从诵读经书开始，以《礼》的学习为终结，因为学到《礼》就到达了道德的终极顶点，就包括了所有的道德内容了，就具备成为圣人的知识储备了。

再次,荀子还强调学礼要"专心一志","并一而不二"(《荀子·劝学》)。心是学习礼的思维器官,也是履行礼的精神意志,不能被干扰和蒙蔽。他说:

> 心者,形之君也,而神明之主也,出令而无所受令。自禁也,自使也,自夺也,自取也,自行也,自止也。故口可劫而使墨云,形可劫而使诎申,心不可劫而使易意,是之则受,非之则辞。(《荀子·解蔽》)

心主宰身体,主管精神,发号施令而不接受命令。心自己限制自己,自己驱使自己,决定抛弃什么,决定接受什么,自己行动,自己停止。他人可以强迫嘴巴沉默或说话,可以强迫身体弯屈或伸直,却不可以强迫人心改变意志。心认为什么对就接受,认为什么错就拒绝。因此,人在学礼时,该发挥心的作用,专心致志,明察理论,唯有如此,才能对礼有全面而正确的认识。

3."积善成德"

荀子对礼的修养还非常看重礼德的践行和长期积累。

首先,荀子注重礼义道德的实践。他认为礼义道德的修养最高阶段就是"行"、"为"、"守"。他要求君子"利少而义多为之"(《荀子·修身》),"唯仁之为守,唯义之为行"(《荀子·不苟》)。

> 不闻不若闻之,闻之不若见之,见之不若知之,知之不若行之。学至于行之而止矣。行之明也,明之为圣人。圣人也者,本仁义,当是非,齐言行,不失毫厘,无它道焉,已乎行之矣。故闻之而不见,虽博必谬;见之而不知,虽识必妄;知之而不行,虽敦必困。(《荀子·儒效》)

荀子说，听到比没有听到要好，见到比听到要好，理解又比见到要强，实行更比理解重要。礼从学习开始，到实行结束。只有实行礼才能明白事理，才能是圣人。圣人在于以礼义为根本，能恰当地判断是非，其中的诀窍就在于他能把学到的东西付诸行动。圣人注重的不只是听到，还要求亲眼看到，并且力求能理解，能持之以恒地践行。唯有如此，圣人才能避免谬误、虚妄、陷入困境。因此，"积善成德"就在于能将学到的在生活中去践行。

其次，荀子突出了礼仪道德的长期积累。所谓"不积跬步，无以致千里；不积小流，无以成江海"（《荀子·劝学》），就是锲而不舍地学习践行礼，"积善成德，而神明自得，圣心备焉"（《荀子·劝学》）。

圣人不是天生的，而是不断地遵守礼制，积义积善，内化德性。仁德的尧舜，残暴的夏桀和柳下跖，天性都是一样的，而尧舜之所以为尧舜，在于后天能够"化性起伪"。圣人对于积累人为因素而制定成礼义，也就像陶器工人搅拌揉打黏土而生产出瓦器一样，人性是材质，"化性起伪"就是对材质的改造。

> 今使涂之人伏术为学，专心一志，思索孰察，加日县久，积善而不息，则通于神明，参于天地矣。故圣人者，人之所积而致也。曰：圣可积而致，然而皆不可积，何也？曰：可以而不可使也。故小人可以为君子而不肯为君子，君子可以为小人而不肯为小人。小人君子者，未尝不可以相为也，然而不相为者，可以而不可使也。（《荀子·性恶》）

荀子认为即便是最普通的人，只要认真学习礼仪道德，持之以恒,积累善行,照样能通神明,精神境界可以与天地相并齐。一般的人积累善行都能成为圣人。小人可以成为君子,却不愿意成为君子。君子可以成为小人,但不愿意做小人。原因在于君子和小人都可以积累善行,但区别在于肯不肯积累善行。可见荀子突出强调了道德修养的主观能动性,通过"积善成德"的方式,"化性起伪"最能体现人的道德自觉。

就儒家内部而言,孔子"贵仁",认为"克己复礼为仁",强调仁与礼的统一;孟子"尚义",仁义并举,强调仁与义的统一;荀子"隆礼",由义而礼,综合孔孟仁、义、礼学说,突出了礼制对整个道德体系的完整性、现实性和终极性。虽然荀子和孔子、孟子的最终旨趣都是一致的,都是要建立一套向善劝善的道德学说,都不出孔子创立儒家的根本精神,但荀子的礼论内涵更精细,论证更严谨,观点更合理,是中华传统道德体系发展的重要篇章。

礼的规范化、制度化:"三礼"的特征与精神

    "三礼"一般是指《周礼》、《仪礼》、《礼记》三部有关礼的著作。通常认为《周礼》、《仪礼》是周公所作,后人做了增订。《周礼》被看作是西周的行政法法典,《仪礼》则被视为是西周的民法法典,两者论述内容都极为广博精微。《礼记》有西汉戴德、戴圣叔侄两人传下的版本,被后世称之为《大戴礼记》和《小戴礼记》,记载了孔子和弟子们对古代礼制的总结和诠释,是儒家礼学最精辟的理论著述,其文笔极为精彩,其思想极为精致,在世界文化史上堪称精美绝伦。"三礼"从礼制条文到礼治精髓,已经极为完善,实现了礼的规范化、制度化。"三礼"记载的内容被中国历代传承,浸染到人心深处。

    礼的系统化、规范化,始于周公"制礼作乐"。如果说夏朝主要是依靠国君的威望和命令治国,商朝依重鬼神天道治国,那么周公则是在总结前代治国经验和教训基础上,提出了响亮的德政和礼治治国理念。周公制礼的思想大纲是"尊尊"和"亲亲",尊尊是个人与国家的尽忠原则,亲亲是个人与宗族的孝道原则,前者是政治层面,后者是伦理层面。《周礼》和《仪礼》内容包括以血缘宗族为前提的社会等级制度,还包括分封、世袭、官爵等一整套国家典章制度。它们有些是源自于远古的原始巫术礼仪,有些是原始氏族部落的社会习俗,有些则是来源于夏商朝代的政治传统。而《礼记》是在《周礼》和《仪礼》基础上的规范整理和学术发掘。"三礼"都是古代对礼的规范化和制度化,体现了道德理性对情欲的节文,彰显了贯穿在繁文缛节之中的人道精神,表明了中华传

统道德发展的文明历程。

一、节文与理性:"理之不可易者也"

礼制有大量的行为限制,乃至对个性的约束,但根本上礼源自于人的理性,是人类文化的道德理性使然。孔子注重人的性情的真实流露,说中直之人更切近于仁,同时又主张对性情要"以礼节之"(《论语·学而》)。《礼记》记载:

> 礼者,因人之情而为之节文,以为民坊者也。(《礼记·坊记》)
>
> 礼也者,理之不可易者也。(《礼记·乐记》)

另外《礼记·檀弓》也论及为了调和自身诸多情欲,如思亲之情、饮食求乐之欲等,使之遵循一定标准而不相互冲突。孟子也说:"礼之实,节文斯二者是也。"(《孟子·离娄上》)"辞让之心"就是"节文"的表现,是礼的发端。荀子更是以为人性恶,没有节制的人必然为欲望纷争不断,所以圣王"制礼义以分之"(《荀子·礼论》)。朱子则解释道:"礼者,天理之节文、人事之仪则也。"(《论语集注》)礼是道德理性对人外部行为的规范,礼的性质和功用是"节文",即通过具体行为的规范,节制人之欲,文饰人之情。

如果说礼的"节制"完全是源自于道德理性,那么礼的"文饰"则带有诗情画意,是艺术化的道德情感。然而就礼的发生而言,只有到了道德理性成熟之时,才有礼的产生,因为道德情感可以是自然本能的流露,如亲子之情,而道德理性则必须在社会生活中充分酝酿才能达成。因此《礼记》的《礼运》篇,专门通过阐释人类社会礼的运转演变,论证礼的起源和必然,提出了"大同"和"小康"学说。《礼记·礼运》认为礼并非古已有之，把社会历史的演进划分为"大同"之世和"小康"之世两个历史阶段，这正是礼从无到有的产生过程。

"大同"之世是"大道之行也，天下为公"（《礼记·礼运》）的时代。一方面，社会的财产是全天下人所公有，社会的管理完全是选贤与能，所有人共同推选天下共主为天子，天子之位凭借德行进行禅让。另一方面，人与人之间不需要礼义等级制度：

> 人不独亲其亲，不独子其子，使老有所终，壮有所用，幼有所长，矜寡孤独废疾者，皆有所养。男有分，女有归。货恶其弃于地也，不必藏于己；力恶其不出于身也，不必为己。是故谋闭而不兴，盗窃乱贼而不作，故外户而不闭。（《礼记·礼运》）

可见这里所描述的"大同"之世就是指尧舜禹的氏族时代，"大同"的社会就是人与社会，人与人完全均等和谐的社会，没有制定礼义等级制度的必要，所以礼还没有产生。"天下为公"，是全民政治、民本思想的体现。"选贤与能"是在民本思想基础上，注重政治效能和水准，以求政治的清明和文化的进步。

"小康"之世是"大道既隐，天下为家"（《礼记·礼运》）的时代。从"大同"进入到"小康"，礼义等级制度就成为正常社会运行的必要条件。一方面，天下主权和治理被一家一姓所掌控，父子相传，兄弟相及，君主权位被世袭继承，而不再禅让和推举天下共主。另一方面，人与人之间依靠礼义制度来维持：

> 各亲其亲，各子其子，货力为己，大人世及以为礼。

> 城郭沟池以为固,礼义以为纪;以正君臣,以笃父子,以
> 睦兄弟,以和夫妇,以设制度,以立田里,以贤勇知,以功
> 为己。故谋用是作,而兵由此起。(《礼记·礼运》)

所谓夏禹、商汤、周文王、周武王、周成王、周公六君子,无一不严谨地求之于礼义制度的,用礼义表彰民众正确的言行,鼓励民众信用的遵守,用礼义的标准考察官员的尽忠职守,罢免祸害民众的官员,全社会提倡仁义礼让的道德。这种社会被称为"小康"之世,虽比不上"大同"之世,但有礼义可循,社会安定,仍是所应追求的治世。

《礼记·礼运》对礼的产生过程所做的探索,虽然"大同""小康"是比较抽象的社会,但大体上反映了我国远古历史变迁的进程。《礼记·礼运》肯定了礼义制度是社会历史的产物,比孟子的心性论和四端说更加客观。《礼记·礼运》重申了礼义制度的必然性,比荀子的性恶论和圣贤制礼论断更为中肯。

二、正心与人道:"治国平天下"

既然礼是人之情欲的节文,是道德情感和道德理性的产物,因而礼也是由仁的理念和义的准则进一步具体化的规范,是从外而内实现"合内外"、"正其心",以"通天人"的中华传统道德体系重要一环。

> 古之欲明明德于天下者,先治其国;欲治其国者,先
> 齐其家;欲齐其家者,先修其身;欲修其身者,先正其心;
> 欲正其心者,先诚其意;欲诚其意者,先致其知,致知在
> 格物。(《礼记·大学》)
> 是故先王之制礼乐也,非以极口腹耳目之欲也,将

以教民平好恶而反（返）人道之正也。（《礼记·乐记》）

　　有恩有理，有节有权，取之人情也。恩者仁也，理者义也，节者礼也，权者知也。仁义礼智，人道具矣。（《礼记·丧服》）

要想实现外王的家齐、国治、天下平，就必须先做到内圣的正心、修身。守礼是由外而内，是修身、正心的必备手段，行礼就是让仁义的精神实质和人道的普世价值得到贯彻。

　　从形式上看，礼的规范是具有强制性的，类似于法律，人人必须遵守，以礼正身；但从积极的旨趣上看，礼制有人道伦理的考量，儒家因而常常宣扬道统高于政统。周公制礼，将人与鬼神、财物的关系，人与社会、国家的关系，乃至内心的精神信念，都做了极为精细的规范，人的一切生活都纳入了礼的轨道，礼获得了国家和社会的广泛支持和强制执行，人们不得越礼、违礼，不然"出乎礼，则入乎刑"。

　　子曰：善人为邦百年，亦可以胜残去杀矣。诚哉是言也！子曰：如有王者，必世而后仁。子曰：苟正其身矣，于从政乎何有？不能正其身，如正人何？（《论语·子路》）

孔子说古人认为只有仁善之人主持国政，历经百年之久，才能消除残戾之气，去除杀伐之风，这一观点是非常对的。要是有王者主持国政，从政者自己正身，也要一代人的时间才能使人道流行于天下。

　　"约之以礼"（《论语·学而》）、以礼正身的人和社会，才能摆脱野蛮，进入人道的境界。人有情感和理智双重意识，不同于动物，其中一个表现就是人由仁义生成礼，礼正是人之为人的标志。一个聪明绝顶但心胸极其狭隘、极端自私的人，惯于侵犯他人，在他心中没有道德，没有礼法，也无异于禽兽。由这种人构成的社会，是弱肉强食、欺善怕恶的社会，也无异于禽兽组成的动物王国。

> 道德仁义，非礼不成。教训正俗，非礼不备。分争辨讼，非礼不决。君臣上下父子兄弟，非礼不定。宦学事师，非礼不亲。班朝治军，莅官行法，非礼威严不行。祷祠祭祀，供给鬼神，非礼不诚不庄。是以君子恭敬撙节退让以明礼。鹦鹉能言，不离飞鸟；猩猩能言，不离禽兽。今人而无礼，虽能言，不亦禽兽之心乎？夫唯禽兽无礼，故父子聚麀。是故圣人作，为礼以教人。使人以有礼，知自别于禽兽。（《礼记·曲礼》）

譬如中国传统社会有极其复杂的丧礼，充满了无限的情感和深刻的理智，动物则没有这种丧礼。亲人死后，从理智的角度看，人死不能复生，尸首可以掩埋，可以抛于野外，可以火化成灰，可以喂养动物；但从情感上又希望死者复生，灵魂不灭，定要保留尸首尊严，安抚活者心灵。亲属对待亡者，专凭理智处理，就违背情感需要，是为不仁；只依情感处理，又流于迷信，妨碍进步，是为不智。《礼记》的《檀弓》、《奔丧》、《问丧》、《服问》、《丧大》、《丧服小记》、《丧服四》等篇章，从三日而殓、三月而葬、三年服丧，到亲人离世亲属的穿衣、吃饭、说话等等，都作了规定和解说。"丧礼，哀戚之至也，节哀顺变也，君子念始之者也。复，尽爱之道也，有祷祠之心焉。……唯祭祀之礼，主人自尽焉尔；岂知神之所飨，亦以主人有齐敬之心也。"（《礼记·檀弓》）丧礼祭礼是艺术化的行为规范，完全不同于神学宗教，兼顾了理智和情感，不以情感欺骗理智而轻信鬼神，不以理智泯灭情感而不去自尽哀戚。所以荀子说："礼者，谨于治生死者也。生，人之始也；死，人之终也。终始具善，人道毕矣。"（《荀子·礼论》）

再譬如中国传统社会隆重的祭礼，完全是社会功德的宗教，而不是虚幻神学的宗教。"万物本乎天，人本乎祖，此所以配上帝也。郊之祭也，大报本反始也。"（《礼记·郊特牲》）人之所以祭祀天地和祖先，是为了报答自己的初始本源。天地生人，该当天子祭祀以报答，爱惜天地自然。祖先繁衍子孙，该当子孙各家祭祀以报答，敬尊先辈前人的付出。历史人物创下无上功德惠及后世，全社会该当祭祀以报答，缅怀其丰功伟绩，激励后人。

> 夫圣王之制祭祀也，法施于民则祀之，以死勤事则祀之，以劳定国则祀之，能御大菑则祀之，能捍大患则祀之。是故厉山氏之有天下也，其子曰农，能殖百谷；夏之衰也，周弃继之，故祀以为稷。共工氏之霸九州岛也，其子曰后土，能平九州岛，故祀以为社。（《礼记·祭法》）

教化广大民众的，勤勉劳作奉献的，安定国家有功的，拯救社会于大灾患的，都应该得到大家共同祭祀。厉山氏的神农能教授民众栽培谷物，被天下人拜为稷神，年年祭祀。共工氏的后土平定九州灾乱，被天下人奉为社神，年年祭奠。同样，各行各业都有神，神界与人界相通，各有功德，都对人世产生影响，被拜为神或祖师爷，受到祭祀膜拜。如酿造认杜康为神，教育称孔子为至圣先师，木匠供鲁班为祖师等等。祭祀除了崇德报功之外，更多的是追思报恩祖宗。"上治祖祢，尊尊也；下治子孙，亲亲也；旁治昆弟，合族以食，序以昭缪，别之以礼义，人道竭矣。"（《礼记·大传》）家族的兴旺需要前赴后继,齐心协力,对祖先的祭祀之礼,一方面是思慕先人,另一方面也是树立榜样。如此这般包罗万象、无所不备的礼,无非是要通过人们习礼正身,使人达成道德仁义,使人达成为人,区别于禽兽。

在礼的繁文缛节之中,人道精神是一以贯之的。董仲舒认为仁在于爱人,义在于正我。事实上礼是基于仁德理念和义德准则创作出来,反映道德觉醒之后的人道精神。就礼与义的关系而言,两者是同质的。

> 民之所由生,礼为大。非礼无以节事天地之神也,非礼无以辨君臣上下长幼之位也,非礼无以别男女父子兄弟之亲、昏姻疏数之交也。(《礼记·哀公问》)

礼与义都表达了社会生活秩序的要求,不过义是更为抽象的道德准则,礼则是更为具体的行为规范。"礼之所尊,尊其义也。""义生,然后礼作。"(《礼记·郊特牲》)所以说礼是义德规范体现,但义又是不能和仁分开,所以说礼事实上包容了仁与义,综合整个仁义道德在其中,礼的人道精神也就不言而喻了。

三、等级与文明:"尊让契敬"

礼处处体现出"贵贱有等"的安排,但也代表了文明开化,保障了文明社会的延续。"人有礼则安,无礼则危。"(《礼记·曲礼》)孔子认为"安上治民"最好的方式就是礼。礼具有双重性质,一方面礼仪有上下等级、尊卑长幼严明的秩序规定,连公共性的祭祀活动都为王室和诸侯所垄断;另一方面,礼仪一般也都把社会共同体作为最终的归宿,所谓"天下非一人之天下也,天下之天下也"(《吕氏春秋·贵公篇》),具有原始朴素的民主性和人民性。《易经》上说物相杂为文，文明就是社会条理清晰而光明的样子，礼无疑是确立社会秩序、开启文明的必经阶段。

"三礼"描述规定了大量琐碎的礼仪细节，虽然看似一团繁文缛节，但也都有特定的目标和用意，能起到相应的社会功能和政治作用。譬如《礼记》的第一句话，开宗明义，就是"毋不敬"（《礼记·曲礼》），又说"夫礼者，自卑而尊人"（《礼记·曲礼》），"敬让也者，君子之所以相接也"（《礼记·曲礼》），说明礼的宗旨就是提倡恭敬谦让、仁爱宽容、文明和谐。正是这些礼的规定将远古的社会确立起尊卑秩序，使得人群有序地组织和团结起来，顺利地进行生产和生活，维系社会的生产活动。

礼制对衣、食、住、行、用都作了鲜明的尊卑等级规定。以服饰为例，正式场合有礼服和官服，西周帝王和各级官员的服饰，从形制、色泽、质料和图案，有严格的区分。刑徒、奴隶和各种职业的衣冠也都不同。唐代的礼制规定帝王服色为赫黄色，严禁臣民使用，三品以上为紫色，五品以上为绯色，六品、七品为绿色，八品、九品为青色，庶民为白色，商贾为皂色。再以饮食为例，首先是座位次序有规定，尊贵的、年长的在坐北面南的座位，为上位，卑微的、年幼的在坐南面北的座位，为下位。进食的器皿、数量、动作的规定更为复杂，《礼记》中有大量这样的记载：

> 六十者坐，五十者立侍，以听政役，所以明尊长也。六十者三豆，七十者四豆，八十者五豆，九十者六豆，所以明养老也。民知尊长养老，而后乃能入孝弟。（《礼记·乡饮酒义》）
>
> 凡进食之礼，左殽右胾，食居人之左，羹居人之右。

脍炙处外,醯酱处内,葱渫处末,酒浆处右。以脯修置者,左朐右末。……毋抟饭,毋放饭,毋流歠,毋咤食,毋啮骨,毋反鱼肉,毋投与狗骨。毋固获,毋扬饭。饭黍毋以箸。毋嚃羹,毋絮羹,毋刺齿,毋歠醢。客絮羹,主人辞不能亨。客歠醢,主人辞以窭。濡肉齿决,干肉不齿决。毋嘬炙。(《礼记·曲礼》)

这两段文字仅仅是饮食之礼的种种繁文缛节的一角。在建筑和居住、车舆和出行、诞生、婚嫁、丧葬、节庆、社交等等方面,种种礼节礼仪极为复杂,俨然是个庞大的文化系统。

所有礼的细节,事实上一方面无不渗透着森严的尊卑等级,另一方面也彰显了礼节宗旨,即"尊让契敬"的文明精神。正如《礼记·礼运》所说:

父慈、子孝、兄良、弟弟、夫义、妇听、长惠、幼顺、君仁、臣忠十者,谓之人义。讲信修睦,谓之人利。争夺相杀,谓之人患。故圣人所以治人七情,修十义,讲信修睦,尚辞让,去争夺,舍礼何以治之?……人藏其心,不可测度也;美恶皆在其心,不见其色也,欲一以穷之,舍礼何以哉?(《礼记·礼运》)

父子笃,兄弟睦,夫妇和,家之肥也。大臣法,小臣廉,官职相序,君臣相正,国之肥也。天子以德为车、以乐为御,诸侯以礼相与,大夫以法相序,士以信相考,百姓以睦相守,天下之肥也。是谓大顺。(《礼记·礼运》)

礼不论在理论上还是事实上,都成为人际社会关系的黏合剂,增强民族的凝聚力,化解国家分裂、融合大一统的精神力量。在人类历史进程中,人类走向真正的平等之前,要经历漫长的尊卑等级社会，这是历史发展的客观必然。而在人们迎来真正的平等之前，先摆脱野蛮，彰显文明，增益道德，塑造慈、孝、良、悌、义、和、惠、顺、仁、忠、廉、信等诸善，"治人七情，修十义，讲信修睦，尚辞让，去争夺"，毫无疑问都是中华传统文化独特的礼教功能。正是这种举世无双的文明之礼，使中国当之无愧地成为礼仪之邦，使中国成为泱泱大国，使中国五千多年文化生生不息，并惠及亚洲邻国乃至世界，"舍礼何以哉"？！

当然，作为礼德发展极端的礼教，也存在大量的流弊。大凡一种在历史上形成的思想观念，哪怕是再好的思想观念，在其流布传播的过程中，都难免会产生某些流弊。礼德思想在某种特定的情况、条件下，逐渐演为"礼教"，或曰产生"礼教"之负面后果，即其一例。

本来在中国上古时期（如夏商周三代），大体说来，经济生活和各种社会生活都延续着氏族共同体的基本社会结构，因而礼德、礼仪这套传统制度与观念，都仍然保存了相当多的原始民主性、平等性因素，成为中国传统美德的重要源泉。即使在春秋战国时期的孔孟原始儒学中，关于君臣、父子、夫妇之间的关系的理念，总体说来还是相对平等的，本无绝对的君权、父权、夫权存在之理由。以君臣关系论，孔子虽尊君而不主张君主独裁。孟子则直接说："君之视臣如手足，则臣视君如腹心；君之视臣如犬马，则臣视君如国人；君之视臣如土芥，则臣视君如寇雠。"（《孟子·离娄下》）

然而演变至秦汉，随着大一统的封建专制帝国统治的强化，各种维护君权、父权、夫权的思想言论纷纷出现，如公孙弘之制订礼仪以扬君威，董仲舒提出三纲（即君为臣纲、父为子纲、夫为妻纲）、《白虎通义》提出"三纲六纪"以定伦常，于是专制独裁的三权（即君权、父权、父权）傲然挺立，这就是礼教的初步形成。此后,礼教之存在与封建专制制度相伴随,二者如影随形,难解难分,至明清时代,演绎出无数的悲剧惨剧。面对惨烈事实,后期封建社会以来那些有良知、有理性、有胆识的思想家率先勇猛陈词,痛说其弊,指斥那些"尊者"、"长者"、"贵者"之"以理杀人"实际是以礼教杀人,比用刑法杀人还要凶狠千倍、万倍! 这类言论曾表现为黄宗羲、唐甄等人的民主主义政治思想,也表现为戴震、龚自珍以及伟大文学著作《红楼梦》中的某些民主思想,还表现为严复、谭嗣同等人勇于"辟韩"、追求"民主""自由"、反对封建名教的呼吁,更表现为五四时期吴虞、鲁迅、陈独秀等人大声呐喊的"反礼教"思想。这些思想都具有十分重要的启蒙意义。

我们在这里谈及"礼教"、"名教"的负面价值,无非是提醒读者:我们在弘扬民族优秀文化、传统道德的时候,千万不要忽略其失误的另一面,即传统文化中也有秕糠糟粕之存在,这样才能够在我们当前建设社会主义物质文明和精神文明的过程中,分清是非,辨析良莠,去芜存菁!

礼德概说

　　孔子的"仁",一方面是源自于社会生活的现实,另一方面又是提炼自社会道德追求的理想,是实践理性下的人道主义体现。孟子的"义",一方面是继承孔子的人道主义精神,试图将"仁"的理念具体化为行为准则,另一方面是抽象地探求"仁义"的人性渊源和依据,创造性地提出了"四端"说和性善论。而荀子的"礼",一方面是在更大程度上回归了孔子人道精神的现实主义和理性态度,另一方面是充分地论证了礼义道德的合理性和必然性,开创性地从性恶论导向礼义论。儒家的整个道德体系最后以礼的精神来综括仁德理念和义德准则,以礼德规范来贯彻整个道德实践。礼德既包含了道德伦理的精神层面,还包括了社会习俗和政治制度层面,既有传统的因袭,又有时代的损益。因此以"三礼"为代表的中国传统礼文化,越来越规范化和制度化,在中华传统道德体系中占据重要位置,并且传唱数千年!

一、礼是道德行为的标尺,以便培养善良人格

　　礼德的第一个层面就是道德伦理的精神层面。礼的精神实质、普遍原理、普世价值,就是仁德理念、义德准则、人道精神,礼正是在特定社会历史时代下,依据对这些根本的道德法则认识程度而制定的,因此礼的具体规范是该时代道德行为的标尺,意在培养善良人格,塑造社会的一代新人。

　　礼是道德理性对人外部行为的规范,"乐所以修内也,礼所以修外也"(《礼记·文王世子》)。礼同仁义一起,构成"通

天人，合内外"的完整道德人格。

> 礼之所尊，尊其义也。失其义，陈其数，祝史之事
> 也。故其数可陈也，其义难知也。知其义而敬守之，天
> 子之所以治天下也。(《礼记·郊特牲》)
> 美恶皆在其心，不见其色也。欲一以穷之，舍礼何
> 以哉?(《礼记·礼运》)

人的善与恶，兴起于人心，但人心难以察看，若要让人道德齐
一，唯有制礼行礼才能培养善良人格。对一个人来说，"不学
礼，无以立"(《论语·季氏》)，"不知礼，无以立也"(《论语·
尧曰》)，不懂礼、不行礼的人不能成人，因为没有完整人格，
遇事没有原则，这样的人自然也无法在社会上立足。

礼要实现"和"的功用，就包括了个人的身心和谐，人格
完善。对于一个善良的人格而言，礼是不可或缺的。"礼乐
不可斯须去身。"(《礼记·乐记》)君子的一举一动都要守礼，
每时每刻都不能违礼，"礼以治之，义以正之"(《礼记·丧
服》)，"君子无物而不在礼矣"(《礼记·仲尼燕居》)，即便是
在春秋乱世，孔子尚且坚信"礼"只是暂时失效，"道"只是暂
时缺位，在继周之后的治世，必然仍为有礼之世。人世道德
昌明，必然是礼的复归。人间正道长存，必然是礼的变革与
完善。因此，"非礼勿视，非礼勿听，非礼勿言，非礼勿动"
(《论语·颜渊》)，是君子"克己复礼为仁"的信条。

二、礼是社会生活的仪轨，以便凡事皆有所遵循

礼德的第二个层面是社会习俗层面。礼是通过"化民成
俗"(《礼记·学记》)的方式，裁制社会生活的各领域，是社会
生活的仪轨。"礼义之始，在于正容体、齐颜色、顺辞令。容

体正，颜色齐，辞令顺，而后礼义备。"（《礼记·冠义》）礼最开始的时候就是从这些看似极为简单的衣冠、服饰、颜色、言语等日常生活的细节着手进行的。《周礼》和《仪礼》是在周代初期创立的一套典章、制度、规矩、礼仪，相当于现代国家制定的法律，内容非常系统而完备。但礼毕竟不是法，却胜于法，潜移默化地达到法难以实现的效果。

> 礼者，禁于将然之前；而法者，禁于已然之后。是故法之用易见，而礼之用所为生难知也。……以礼义治之者积义，以刑罚治之者积刑罚。刑罚积而民怨倍，礼义积而民和亲。（《大戴礼记·礼察》）
>
> 君子力此二者以南面而立，夫是以天下太平也。诸侯朝，万物服体，而百官莫敢不承事矣。礼之所兴，众之所治也；礼之所废，众之所乱也。（《礼记·仲尼燕居》）

虽然礼不一定是"禁于将然之前"，法也未必全是"禁于已然之后"，但礼的规定比法更为全面和积极。《仪礼》就相当于周代社会生活的民法典，例如婚礼，包括了纳彩、问名、纳吉、纳征、请期、亲迎等诸多极其繁细的规定，通过这些婚礼的规定，使得迎娶有确定的行为模式。礼德作为社会习俗是靠大家共同认可、自主遵循的。

礼德对社会生活的调整，旨在"致天下之和"（《礼记·祭义》），在千差万别的社会生活中，实现和谐的人际关系。古代的天下观相当于当今的社会观，礼乐就是社会民间的自我管理方式，《礼记》这样描写礼对社会生活的意义：

> 乐至则无怨，礼至则无争。揖让而治天下者，礼乐之谓也。暴民不作，诸侯宾服，兵革不试，五刑不用，百

姓无患,天子不怒,如此,则乐达矣。合父子之亲,明长幼之序,以敬四海之内。天子如此,则礼行矣。(《礼记·乐记》)

社会的各种关系,主要包括了血缘关系和地缘关系,《礼运》的"十义"除了最后的"君仁"和"臣忠"两条是政治上的关系要求,其余八条社会关系,"父慈、子孝、兄良、弟悌、夫义、妇听、长惠、幼顺",都是属于民间的社会关系,通过礼乐教化,把个人融入到既定样式社会关系之中,可以让社会民风淳厚友善。礼最看重的社会关系就是人的家族血脉观念,所谓"礼也者,反本修古,不忘其初者也"(《礼记·礼器》)。礼成为社会生活秩序的根本保证,守礼就能国泰民安,"致礼乐之道,举而错之,天下无难矣"(《礼记·乐记》),废礼则神人共愤,社会失序。

孔子创造性地从夏商周的社会和政治生活中提取礼的人道精神,阐发了仁义理念和准则,试图在春秋诸侯国中推行这套理论,结果失败了。荀子则反过来把仁义理念和准则具体化、现实化为切合时代需要的新礼,但他跟孔子一样,他们所在的动荡时代还不具备实施这套理论的条件。直到汉代,由孔子、孟子、荀子所开拓出来的礼学体系,才开始向礼制转化,成为汉代之后历代政治生活的典章制度和真正法律化的行为规范。

三、礼是政治秩序的规整,以便各得其所,各安其分

中国传统社会的政治管理,首要的是基于道德理性和明文条例的礼治,既不能粗蛮地归为人治,也不能简单地看作法治。礼是中国政治制度的根源,在古代文献中有大量这样的印证:"礼,经国家,定社稷,序民人,利后嗣者也。"(《左

传·隐公十一年》)"礼,国之干也。"(《左传·僖公十一年》)
"礼,王之大经也。"(《左传·昭公十五年》)"是故礼者君之大
柄也。所以别嫌明微。"(《礼记·礼运》)"制度在礼,文为在
礼。"(《礼记·仲尼燕居》)可见,正是通过礼的明文条例规
定,确立政治生活的秩序,礼的制度安排意在让人各得其所,
各安其分。

譬如《周礼》,不仅是周代极为全面的行政法,还是系统
的政治伦理学说,《唐六典》就是仿《周礼》而制作,后世沿用
至清。对于政治秩序来说,礼就是广义的法,而中国历代的
刑律则是根据礼的精神和原则制定出来的,刑是相对礼窄得
多的法,所谓出于礼则入于刑,这从《唐律》、《宋刑统》、《大明
律》、《大清律例》等刑法中可以看出。礼法不能偏废。孟子
说:"徒善不足以为政,徒法不足以自行。"(《孟子·离娄上》)
荀子也说:"礼者,法之大分,类之纲纪也。"(《荀子·劝学》)
"故非礼,是无法也。"(《荀子·修身》)在荀子看来,礼治就是
更为根本的法治。《大戴礼记·礼察》说:"礼者禁于将然之
前,而法者禁于已然之后。"在探讨社会国家的治理时,儒家
把礼义制度、道德教化、宽厚仁道放在第一位,认为刑律、惩
罚、苛政只能暂时抑制恶行,无法净化出人的良好品性。

孔子说:"八佾舞于庭,是可忍也,孰不可忍也?"(《论
语·八佾》)按照周礼的制度规定,天子的舞队为"八佾",即
八行八列六十四人的阵型,诸侯为六佾,大夫为四佾,士为二
佾(十六人)。而鲁国大夫季孙氏在家庙摆下八佾之舞,以大
夫僭越天子之礼,所以孔子说"是可忍孰不可忍"。

> 人无礼不生,事无礼不成,国家无礼不宁。(《荀
> 子·修身》)
> 礼节民心,乐和民声,政以行之,刑以防之,礼乐刑

政,四达而不悖,则王道备矣。……乐至则无怨,礼至则不争。揖让而治天下者,礼乐之谓也。暴民不作,诸侯宾服,兵革不试,五刑不用,百姓无患,天子不怒。(《礼记·乐记》)

故圣王修义之柄、礼之序,以治人情。故人情者,圣王之田也。修礼以耕之,陈义以种之,讲学以耨之,本仁以聚之,播乐以安之。故礼也者,义之实也。协诸义而协,则礼虽先王未之有,可以义起也。……则是无故,先王能修礼以达义。(《礼记·礼运》)

儒家主张以礼乐治天下,行政与刑律不过是推行礼乐的手段而已。礼把个人视为社会一分子,所以中国社会一般不会产生极端个人主义,而是注重群体的治理和善政。尽管礼的具体规范性内容必须因时变革,必须因事经权,新礼的创造和礼的适用都需要智德的分辨,但礼德精神实质,即彰显仁德理念和义德准则不变,礼德普世价值,即人道精神不变。变革和革命不是否定礼和道德本身,任何时代、任何社会都需要某种礼和道德,越是反映人道精神的礼,越具有生命力,而违背人道精神的礼就必然成为人的枷锁,必然要求打破旧礼,但打破旧礼之后的新社会,也还需要礼,一种适应时代和形势、更贴近人道精神的新礼和新道德。

"礼"无疑是非常系统的宗法等级制度的"成文法",有上下等级尊卑的秩序强制性,但其中又包含有氏族共同体的原始民主性和人道性质,对民族融合、国家统一起着极为重要的社会功能和政治作用,同时又与时因革损益,在继承中创新,可谓源远流长,是中华文明和传统道德的一道独特靓丽的风景。

原典选读

尚礼精神警言典例

1. 孔子论礼德

【原文】殷因于夏礼,所损益,可知也;周因于殷礼,所损益,可知也。其或继周者,虽百世,可知也。(《论语·为政》)

道之以政,齐之以刑,民免而无耻;道之以德,齐之以礼,有耻且格。(《论语·为政》)

礼之用,和为贵。先王之道,斯为美。(《论语·学而》)

【诠解】这里援引了孔子论礼的三段言论,思想的侧重点各有不同。第一段说明孔子肯定礼德的历史继承性以及周礼的普遍价值。首先,孔子认为周礼不是凭空产生的,而是在夏、商两代文化损益因革的基础上产生的,这显然是辩证的文化观和道德观。其次,孔子从周礼中发现其具有一定普遍性和可恒久性的成分,这就是周礼中的人道精神和人文价值,这种历史眼光、哲学眼光是很少有人能企及的,是孔子的卓异之处。

第二段告诉人们:行政命令和刑罚制裁是强制性的手段,它的效用看起来迅速、有力和明显,但不能深入、持久。民众因畏刑怀威而不敢为非作恶,但为非作恶的动机未除,因其并未以此为耻。道德启示和礼乐教化却不然,它们是疏导性的,其效用看起来不那么迅速、有力和明显,却因能够唤醒人的道德心、羞耻感,从而自觉约束自己不犯过错,其行为就会自觉符合社会规范而不出格。孔子认为道德教化的作用比"刑""政"手段更具根本性、重要性。

第三段说明孔子认为礼德可以调节社会关系,使社会生活和人际关系有序化,从而达到群体和谐,故曰:"先王之道,斯为美。"

2.《礼记·乡饮酒义》

【原文】六十者坐,五十者立侍,以听政役,所以明尊长也。六十者三豆,七十者四豆,八十者五豆,九十者六豆,所以明养老也。民知尊长养老,而后乃能入孝弟。

【诠解】这里介绍的是两条"古礼"。在古代农村乡社,逢收获季节或重大庆典,要举行乡饮酒礼。在这种场合,尊老之氛围极为浓厚:六十岁的人可以设座,五十岁的人则要站立。这里没有权力大小、财富多寡的考量,只有年龄大小的参照。这种礼仪无非只是为了表达"尊重长者"的美序良俗。在餐桌上,六十岁老人设俎豆为三(三盘佳肴),七十岁老人设俎豆为四(四盘佳肴),八十岁老人设俎豆为五(五盘佳肴),九十岁老人设俎豆为六(六盘佳肴)。这里没有食量大小的考量,只有年龄大小的参照。这种礼仪无非是为了表达赡养老人的美序良俗。《论语·乡党》也记载了这样一条古礼:"乡人饮酒,杖者出,斯出矣。"乡宴结束了,有人会高喊:让持杖老者先行。老人走后,年轻人跟着鱼贯而行。这种礼节和上述礼节一样,都透露出古代社会生活中淳朴的民风,保留了原始的民主精神和人道精神。

3. "君之视臣如土芥,则臣视君如寇雠"

【原文】孟子告齐宣王曰:"君之视臣如手足,则臣视君如腹心;君之视臣如犬马,则臣视君如国人;君之视臣如土芥,则臣视君如寇雠。"(《孟子·离娄下》)

【诠解】君臣之间的礼节是政治生活中非常重要的内容。

君臣关系往往是整个社会关系最直接的反映。孟子认为两者之间是双向互动的关系,礼节因实质关系的差异而不拘一格。君主把臣下看作手足,臣下定当把君主视为心腹;君主不把臣下当人看待,臣下就会是君主为仇敌。

4. "不同而一"

【原文】农以力尽田,贾以察尽财,百工以巧尽械器,士大夫以上至于公侯,莫不以仁厚知能尽官职。夫是之谓至平。故或禄天下,而不自以为多;或监门御旅,抱关击柝,而不自以为寡。故曰:斩而齐,枉而顺,不同而一。夫是之谓人伦。(《荀子·荣辱》)

【诠解】荀子认为社会所有成员不可能样样都相同,但完全可以秩序井然,和谐相处。农民勤恳种田,商人精细理财,工匠巧制器械,士大夫以至公侯仁德尽职,如此的社会秩序就是大治。有贫富但不会抱怨,有不同但能统一,有高低但能平顺。社会无法实现绝对的平等,也不应该是消极的平等,而合乎人道的礼义是社会秩序的关键。

5. "学至乎《礼》而止"

【原文】《礼》者,法之大分,类之纲纪也,故学至乎《礼》而止矣。夫是之谓道德之极。(《荀子·劝学》)

【诠解】荀子非常注重"四基德"中的"礼",而且突出《礼》的学习。他认为,《礼》是法律规范的总章,是道德准则的总纲。治学学到《礼》,就达到了道德理念学习的终点。在荀子看来,礼是整个道德体系,从理念到准则、再到规范的终点。事实上,从孔子的仁到孟子的义,再到荀子的礼,体现了道德从抽象一步步具体化现实化的轨迹,而这些道德思想的贯通、实施、传承,都离不开对道德思想和精神的认识——智。

智:中华传统道德精神的血脉

中国古代学者把智、仁、勇三者迭加,称为"三达德",又把仁、义、礼、智四项迭加称为"四达道"。这里,"达"即是"大"的意思,也有学者把仁、义、礼、智概括为"四基德"。无论"三达德"的说法也好,"四达道"、"四基德"的说法也好,在中国传统德目中,"智"都居于重要的、不可或缺的地位,它无疑是基础性的中华美德之一。

段玉裁《说文解字注》:"知智义同","古智、知通用。""智"和"知"在古代意义基本相通,常常互相假借者,盖有四个方面:其一,知识、学识;其二,聪明、敏慧;其三,心智、智慧;其四,谋略、智巧。在以上四个方面,"智"或"知"均与认知密切相关,与哲学认识论密不可分,所以有些学者把认识论也称作"认知论"或"智识论",即是缘此。

中国古代"智"的概念或"知论"学说,可以用现今流行的"理性"一词来加以解读、诠释。如以理性概念诠释,则中国古代哲人理性可分为两个方面,即知识理性与道德理性。可以说,古圣先贤对于这两个方面都是非常重视的,不过有的偏重于知识理性,有的偏重于道德理性,有的则兼而有之,并皆重视。综合中华传统道德的基本观念,"智"德一项既看重知识理性的增进,又重视道德理性的修养,古人认为兼综二者之人,才是德才兼备、德业双修的君子。

智德生成:从孔墨到孟荀

中国从先秦诸子开始,对"智"就有了充分的阐释,而且将"智"与"德"结合起来。不论是孔子的学习论、墨子的求知论,还是孟子的心智论、荀子的知行论,都坚持把智德贯穿在整个道德认知、道德教化、道德实践的方方面面。

一、求知益智,好学深思:孔子的学习论

孔子之前,尧、舜、禹、汤、文、武、周公这些"古圣"肯定对于认识社会、认识自我、明辨是非、厘定善恶等方面的认识问题有颇多谠论卓见。孔子就是在此基础上给智德以系统性的阐述。据杨伯峻《论语译注》统计,"知"字在《论语》中出现频率很高,有 116 次之多,此外孔子还使用"智"字,如"智者不惑"、"智者乐水"等等。当然,孔子使用的"知"和"智"二字

也是可以相通的。

特别有趣的是,我们现代人使用频率极高的一个词"学习",是孔子率先发明的。打开《论语》第一篇《学而》,头一句话就是"学而时习之",这里就有了"学习"二字。以下我们就借这两个字,大致展示一下孔子的学习理念,并揭橥其智德思想。

1. 直接知识与间接知识

孔子教育学生首先是道德品质的修养,然后才是文化知识的学习。他说:"弟子入则孝,出则弟,谨而信,泛爱众而亲仁。行有余力,则以学文。"(《论语·学而》)而无论道德修养还是文化学习,他所依据的都是后来称为"六经"的传统文献和原来贵族必修的礼、乐、射、御、书、数等"六艺"。这些内容都是既成的间接知识、间接经验。此外,间接知识还包括一些传闻知识。对于前者,孔子一般深信不疑;对于后者,孔子则十分重视材料和证据。他讲过,关于夏礼、殷礼他能说出一些内容,但杞国和宋国提供的文献材料不充分,无法证实。在材料不足的情况下,他宁愿采取"阙疑"的态度,他认为那样就可以少犯错误。

除了书本知识之外,孔子也很重视多闻多见,这又属于直接知识、直接经验。他指出:"多闻,择其善者而存之;多见而多识之,知之次也。"(《论语·述而》)"多见多识"属耳目见闻,而"择其善者"已超越耳目见闻,必须运用分析比较的方法。"知之次也"谓认知的次序,先是多闻多见,然后才能在思想上加以把握。这触及到感性认识向理性认识的飞跃。

2. 学知与生知

孔子根据知识来源和学习态度,将人即认知主体分为四种情况:

> 生而知之者上也，学而知之者次也，困而学之又其
> 次也，困而不学，民斯为下矣。(《论语·季氏》)

孔子虽然提及作为认知上第一等的人物是"生而知之者"，但是无论过往的历史人物、当时的优秀人物以及他本人，却没有一个人与此格对应，因之"生而知之"至多仅具有"虚悬一格"的意义；而"学而知之"、"困而知之"的例证却是史不绝书，不胜枚举，而且符合认知规律；至于世上还存有"困而不学"的人，那就是一件令人惋惜、引为教训而无可奈何的事情。

孔子是"学知"论者，不是"生知"论者。他虽偶尔讲过"天生德于予"(《论语·述而》)的话，但当学生说他"天纵之将圣"(《论语·子罕》)时，他并不接受，他的态度是："吾非生而知之者，好古、敏求之者也。"(《论语·述而》)他感到自我欣慰的是："十室之邑，必有忠信如丘者焉，不如丘之好学也。"(《论语·公冶长》)孔子曾在社会下层生活过，自幼喜欢"每事问"，故"多能鄙事"。他在日常生活中，坚持"三人行，必有我师焉"(《论语·述而》)。他用大半生的精力从事教育，真正是"学而不厌"，"诲人不倦"。他那丰富的历史知识、文献知识、礼乐知识，都是在学习过程中得来的，并非生来就有的。

孔子特别强调主体的自觉性，主张"有志于学"。他所谓"学而知之者"，都是"有志于学"者，其学习的态度都是自觉的、主动的。"困而学之者"，都是不够自觉的甚至有些被动的。他非常欣赏那些"有志于学"的学生，对于"困而学之"的学生则不厌其烦、诲而不倦地进行督导。《论语》中第一句话就是"学而时习之，不亦说乎！"(《论语·学而》)他把自觉主动学习、时时处处学习，作为人生的至乐。

3. 学与思

"学"必须进至于"思",然而"思"亦离不开"学"。离开"学",则"思"一定是空想、瞎想,必然要犯错误。所以他总结学习生活得失的教训说:"吾尝终日不食,终夜不寝,以思,无益,不如学也。"(《论语·卫灵公》)"思"之所以有赖于"学",主要是"学"能够提供必要的材料,不然"思"就成了无源之水、无本之木。由此他鼓励学生学思结合,学思并重,他告诫学生:"学而不思则罔,思而不学则殆。"(《论语·为政》)一个人的耳闻目见可以了解很多情况,但如果不加思考就会迷惘而无所适从,这说明"思"在认识过程中,比"学"要高一个阶段或高一个层次,这也就是所谓的"下学而上达"(《论语·宪问》)。那么怎样去"思"呢?怎样才能"上达"呢?孔子提到"温故而知新"(《论语·为政》),这涉及历史与现实的连续性;又提到"闻一知十"(《论语·公冶长》),这涉及逻辑的推理;还提到"叩其两端",即从矛盾的两个极端中去比较分析,这涉及辩证思维。孔子曰:"吾道一以贯之。"(《论语·里仁》)他特别强调思想上的贯通;只有贯通,才能上达;实现贯通,必须把握常道常则。

孔子还强调学习要有笃实精神:"知之为知之,不知为不知,是知也。"(《论语·为政》)又主张:"毋意,毋必,毋固,毋我。"(《论语·子罕》)"四毋"就是在学习过程中,不要主观臆断,不要妄下断语,不要固执己见,不要自我中心。这些都是为学之大忌。这些主张昭示给后学求知益智过程中应有的务实精神和客观态度。

4. 成人与自省

孔子十分注意主体修养问题,这是他讲述的智德或知论的一项重要内容。孔子的修养主要是仁的修养,即思考人之为人的问题,其目标是"成仁"或"成人"。孔子也讲"学道"、

"闻道",这里他说的"道"是社会之道和人生之道。就人生而言,这个"道"就是理想化了的人道,其内容还是"仁"。孔子告诉学生如何修养的四个要点:"志于道,据于德,依于仁,游于艺。"(《论语·述而》)"志于道"即志于成仁或成人,这是方向目标问题。"据于德",即以道德为依据,这是立足点问题。"依于仁",即依靠仁来统摄道德活动,这是中心问题。"游于艺",即活动于礼、乐、射、御、书、数六艺之类,这是范围问题。其中"志于道"规定了人生的方向,最为重要。因为君子"志于道",也就找到了安身立命之地。孔子自谓曰:"笃信好学,守死善道。"(《论语·泰伯》)又说:"朝闻道,夕死可矣。"(《论语·里仁》)

孔子的修养方法,说到底不外乎两条:一是学习,二是反省。他主张,学习和反省都应该有一个楷模,即以历史上的圣人和周围的贤人为榜样。孔子曰:"见贤思齐,见不贤而内自省也。"(《论语·里仁》)他所谓的"畏圣人之言",表达的是一种敬畏态度,就是告诫自己,无论思想和行为都不能违背"圣人之言"。自己和贤者、圣人有什么距离,应该在比较中自省、内省。凡事"内省不疚",问心无愧,就没有什么忧愁和畏惧。曾子"吾日三省吾身"(《论语·学而》),显然是对孔子反省思想的重要概括。学习和反省是一生一世的事情,孔子晚年追述自己一生学习、修养的过程,说道:"吾十有五而志于学,三十而立,四十而不惑,五十而知天命,六十而耳顺,七十而从心所欲不逾矩。"(《论语·为政》)孔子这位伟大的先哲以其亲身体验告诉我们:一个人只要生命还在存活,学习求知就没有止境,道德修养就没有穷期。

二、追求真知,三表检验:墨子的求知论

墨子创立的墨家学派在先秦诸子中是一大"显学",他站

在与王公大人完全对立的立场,为下层人民("农与工、肆")代言。他鼓吹"兼爱"、"贵义",其伦理观念,影响所及,深入民间。可贵的是,他德智并重,明确宣称:"厚乎德行,辩乎言谈"的人才能称为贤者,社会各层管理者必须既是仁者,又是智者,才是合格的人选。

1. 经验之知

墨子知论的前提是肯定一切知识都来源于"耳目之实"的见闻经验,"义(道理)不从愚且贱者出,必从贵且智者出"(《墨子·天志中》),反正不能生而知之。他还认为后天环境的熏陶影响,对于人的贤暴智愚起决定性作用,所谓"染于苍则苍,染于黄则黄,所入者变,其色亦变"(《墨子·所染》),是非常质朴的经验论观念。

2. 理性之知

墨子十分注重感觉经验,但也接触到理性逻辑的认识。他所提出的"取实予名"与"察类明故"两个命题,对于中国古代逻辑学做出了自己的贡献。

老子提出"道常无名",孔子主张为政"正名",但只是从墨子开始,"名实"才作为一对哲学范畴,名实关系才真正成为哲学上的一个论题,而被研讨。墨子本人的观点就是"取实予名"。他举例说:

> 今瞽曰:"钜(皑)者白也,黔者黑也。"虽明目者无以易之。兼白黑,使瞽者取焉,不能知也。故我曰瞽不知白黑者,非以其名也,以其取也。……天下之君子不知仁者,非以其名也,亦以其取也。(《墨子·贵义》)

盲人可以说出黑白之名,但不能分辨黑白之实。许多知识分子知道"仁"之名,却并不知道"仁"之实。"名"即名称,是指称客观事实的概念;"实"即事实,是被指称的客观事实;"取"即选择,是指实际分辨的能力。按照墨子的分析,应该"取实予名"即取一定的"实"而赋予一定的"名","实"是第一性的,"名"应该从属于"实",绝不能把二者的关系颠倒过来。仅知其名,并不是真知。既知其名,又知其实,名实相副,才是真知。在这里,墨子既注意到名实之间的区别,又确认了二者的统一性与统一的方式,这种观点是很有见地的,显然是知的深化。

墨子还第一次提出"类"与"故"两个逻辑概念,作为明辨是非、审查同异的方法。他在辩论中常常批评对方:"子未考吾言之类,未明其故者也。"(《墨子·非攻下》)例如,墨子主张"非攻",对方以武王伐纣进行非难。墨子指出,你讲的不是"攻",而是"诛"。"攻"和"诛"不同类,不能类比。在同公输般的著名辩论中,公输曰:"吾义固不杀人。"墨子则以此类推进行反驳:你为楚王造云梯,将以攻宋,这种行为是"义不杀少而杀众!""义不杀少而杀众,不可谓知类"(《墨子·公输》)。墨子还主张:"仁人以取舍是非之理相告,无故从有故也,弗知从有知也,无辞必服,见善必迁。"(《墨子·非儒下》)据上可知,"类"指事物的同属和共性,"察觉"可以发现同一类事物的共性,从中找出其通则,所以可以类比和类推。"故"指事情的原因或目的,"明故"可以发现事物之所以然,从中理出其因果联系,因此可以举一反三。"理"指包括"类"和"故"在内的取舍是非的根据。墨子虽然尚未作出明确的规定,他既提出并具体运用了这些概念,说明他已经注意到理性认识的作用,显然是知的系统化、概念化。

3."三表"证知

墨子在中国认识史上第一次提出了真理标准问题。他说:"言必立仪。"(《墨子·非命上》)"仪"就是言论是非的标准。古代天文仪器有日晷,在一个圆盘中央插一指针,根据指针在盘上的日影来确定早晚的时间和东西的方位。墨子打比方说,言论应该有标准,否则就像日晷上没有指针。于是他提出"言必有三表"。"三表"就是三个标准:

> 何谓三表?子墨子言曰:有本之者,有原之者,有用之者。于何本之?上本之于古者圣王之事。于何原之?下原察百姓耳目之实。于何用之?废(发)以为刑政,观其中国家百姓人民之利。此所谓言有三表也。(《墨子·非命下》)

第一表"上本之于古者圣王之事",即以古代圣王的历史经验为依据。他说:"圣人以治天下为事者也。必知乱之所自起,焉(乃)能治之;不知乱之所起,则不能治。"(《墨子·兼爱上》)意思是,圣人治天下的成就证明他们认识的正确,因而可以根据前人的间接经验,来检验我们当前的认识。这条标准无疑是客观的和有价值的。

第二表"下原察百姓耳目之实",即以广大群众的直接经验为依据。墨子说:"天下察知有与无之道者,必以众之耳目之实,知有与亡(无)为仪者也。请惑(诚或)闻之见之,则必以为有;莫见莫闻,则必以为无。"(《墨子·明鬼下》)这一条标准有客观性、群众性基础,因而它也具有参考的价值。

第三表"发以为刑政,观其中国家百姓人民之利",用来治理国家,以其产生的功效,看它是否符合国家百姓人民的利益。墨子对此还讲过,言论是否正确必须"合其志功而观焉"(《墨子·鲁问》)。"志",是动机,"功",是效果。墨子主张结合动机与效果,通过"用之"来检验。"用之不可,虽我亦将非之。焉有善而不可用者?"(《墨子·兼爱下》)这一条标准在"三表"中最为深刻,因为它接触到实践及其效果。就政治是非和社会治乱而言,这一条可以作为基本标准。

墨子的智论是很了不起的,尤其是"三表"的认知标准。墨子"三表"的理论贡献就在于,他明确地提出了真理标准的问题,并包含着一定的合理成分。他虽然没有、也不可能解决这一重大问题,但必将推动中国哲人对此进一步去思考和研究。在墨子的引导下,后期墨家弘扬墨子唯物主义观点和科学精神,初步提出了一些科学性创见,这些内容在后世称为《墨经》的篇章中多有表现。《墨经》对古代逻辑学也做出了重大贡献。墨子和他们创立的墨家给中国传统"智"德思想,增添了宝贵的精神财富。

三、注重修养,教亦多术:孟子的心智论

孟子一生以授徒讲学为职志,他认为得天下英才而教之乃是人生最大乐事。他的求知益智思想,大致继承了孔子学习论的思路而又有所创造,其主要贡献体现在以下几个方面。

1. 心官则思,深造自得

孟子认知理论的显著特点,是重主观思维,重心性修养。他说:"尽其心者,知其性也;知其性,则知天矣。"(《孟子·尽心上》)在孟子看来,人的"心"是"天"给予的,天赋予人以思维能力。所谓"尽心"就是充分发挥"心之官则思"的特质,扩充内心固有的四大"善端",即恻隐之心、羞恶之心、辞让之心与是非之心,以达到仁、义、礼、智四者皆备的修养目标。所谓"知性"就是要理解人的本质特征,并靠反躬内省去完成自我认识。具体言之,通过对恻隐之心的自觉体认来见性之"仁",通过对羞恶之心的自觉体认来见性之"义",通过对辞让之心的自觉体认来见性之"礼",通过对是非之心的自觉体

认来见性之"智"。所谓"知天"就是要懂得"天命"(孟子曰:
"莫之为而为者天也,莫之致而致者命也。"天命应是一种接
近于客观必然性的东西)对人和自然的制约作用,并且决定
人的仁、义、礼、智等道德属性。人的"尽心"、"知性"与"知
天"是同一个过程,是完全一致的。可见,孟子是偏于"万物
皆备于我"内心自省思维路线的。

孟子从他的重视内心自省思维路线和重视主观能动性
思想出发,在学习中非常重视深造自得。他说:

> 君子深造之以道,欲其自得之也。自得之,则居之
> 安;居之安,则资之深;资之深,则取之左右逢其源。故
> 君子欲其自得之也。(《孟子·离娄下》)

他要求人们在学习中必须要深入思考,穷本究源,有所心得。
在他看来只有学习者自己苦心钻研,才能对学习内容彻底了
解,使之成为自己的知识财富,并能牢固地掌握,应用起来就
能左右逢源。

关于如何达到深造,孟子以为应从大者和本原入手。
他说:

> 孔子登东山而小鲁,登泰山而小天下。故观于海者
> 难为水,游于圣人之门者难为言。观水有术,必观其澜。
> 日月有明,容光必照焉。(《孟子·尽心上》)

照孟子看来,站得越高,看得越远。能见到大的方面,小的则
更微不足道了。最重要的是探索它的本原,如观看水的湍
急,可知其源之有本。通过小隙之光亮认识到日月光明的本
质。孟子还认为,为了深造,不仅要注重博学,而且要能融会

贯通,抓住其要领,由博反约:"博学而详说之,将以反说约
也。"(《孟子·离娄下》)他又指出:"言近而指远者,善言也。
守约而施博者,善道也。"(《孟子·尽心下》)他要人从目前常
见的事物,理解重要的道理;由浅近易懂的事物,体会深远意
旨。这是孔子"由博返约"思想的进一步发展。

2. 循序渐进,持之以恒

孟子认为学习是一个自然发展的过程,因此,学习要顺
其自然,不要主观穿凿。他说:"所恶于智者,为其凿也。"
(《孟子·离娄下》)所以,他特别重视循序渐进,反对急于求
成,他举宋人揠苗助长的故事为例,生动地说明这个道理:

> 必有事焉而勿正,心无忘,勿助长也。无若宋人然。
> 宋人有闵其苗之不长而揠之者,茫茫然归,谓其人曰:
> "今日病矣,余助苗长矣。"其子趋而往视之,苗则槁矣。
> 天下之不助苗长者寡矣。以为无益而舍之者,不耘苗者
> 也。助之长者,揠苗者也,匪徒无益,而又害之。(《孟
> 子·公孙丑上》)

他一方面主张自强不息,另一方面反对拔苗助长。孟子强调
学习不能超过人们的负荷极限,可以说是接触到了量力而行
的教学规律。他还指出学习不能急躁或躐等。他提醒躁进
的人,往往退步得也快:"其进锐者其退速。"(《孟子·尽心
上》)由此,他要求学习有一定步骤,要像流水一般,依序前
进,进了一步,再进一步:"流水之为物也,不盈科不行;君子
之志于道也,不成章不达。"(《孟子·尽心上》)

孟子强调学习要专心致志,持之以恒,不能一心二用。
他指出,路是人走出来的,只要一间断就会有茅草生出来堵
塞了原有的路:"山径之蹊间,介然用之而成路。为间不用,

则茅塞之矣。"(《孟子·尽心下》)他要求有志之士不要虎头蛇尾,而要一往无前,贯彻到底:"有为者譬若掘井,掘井九仞而不及泉,犹为弃井也。"(《孟子·尽心上》)这与孔子所述"功亏一篑"的道理是一致的。不仅如此,他更要求人们学习要力求达到精熟、达到奇巧的程度。他说:"五谷者,种之美者也。苟为不熟,不如荑稗。"(《孟子·告子上》)

3. 教学有法,注重启发

孟子认识到教学方法的重要性,指出学习是有一定方法的,教师离开它就无以教,弟子离开它就无法学:"大匠诲人,必以规矩。学者亦必以规矩。"(《孟子·告子上》)孟子明确地说,即使眼力最好的离娄,具有高度技巧的公输子,如果没有标准也做不出方圆之器:"离娄之明,公输子之巧,不以规矩,不能成方圆。"(《孟子·离娄上》)他又以学习射箭为例,说明一定要设定目标并且拉满了弓再把箭射出去:"羿之教人射,必志于彀。学者,亦必志于彀。"(《孟子·告子上》)学习也要有明确的目标并且需要全力以赴。他还认为,一位善于教学的教师要懂得运用启发式教育,他说:"君子引而不发,跃如也;中道而立,能者从之。"(《孟子·尽心上》)教学应当像射箭那样,老师做出跃跃欲试的样子,以启发学生的主动性。这和孔子不愤不启、不悱不发的思想是一致的。在这方面,他特别注意:

第一,学习要自己体会,才能灵活运用:"梓匠轮舆能与人规矩,不能使人巧。"(《孟子·尽心上》)由此,他对求道之心不切的学生严肃地指出:"夫道若大路然,岂难知哉!人病不求耳。子归而求之,有余师。"(《孟子·告子下》)要想学习有心得,主要在自身的努力。

第二,为了促进学生的自主性和积极性,孟子特别强调不迷信书本的怀疑精神。他说:"尽信《书》,则不如无《书》。"

（《孟子·尽心下》）又说："故说《诗》者，不以文害辞，不以辞害志。以意逆志，是为得之。"（《孟子·万章上》）不要拘于文字而误解词句，不要拘于词句而误解原意，而要用自己的切身体会去印证文本的本意。这就把孔子的"阙疑"精神向前大大推进了一步。

第三，孟子在推广启发式教学的过程中，也注意倡导有益的思维方法。他继承孔子的"中庸"思想，提出了"时"与"权"的思想方法，重视思维的灵活性。孟子认为道的可贵在于"中"，而"执中"的可贵之处应在于能权衡轻重，因时制宜。

总之，孟子认识到：学子们性格、秉赋、才质是各有不同的，因此施教者务必要针对其特点，做到因材施教，各展所长，"有成德者，有达财（才）者，有答问者，有私淑者"，使教育教学有如"时雨化之"，生意盎然，人才辈出，这就是孟子所谓"教亦多术"的深刻理念。

四、劝学求知，虚一而静：荀子的知行论

提到荀子，人们很自然地就会想起他的名作《劝学》，其中有很多警句名言，真是脍炙人口，对于人们勉学求知、努力向善，起到了巨大的激励鼓舞的作用。关于自强不息、励志为学的格言，如："无冥冥之志者，无昭昭之明；无惛惛之事者，无赫赫之功。"关于重视积累、积学备用的格言，如："积土成山，风雨兴焉；积水成渊，蛟龙生焉；积善成德，而神明自得，圣心备焉。""故不积跬步，无以致千里；不积小流，无以成江海。""骐骥一跃，不能十步；驽马十驾，功在不舍。""锲而舍之，朽木不折；锲而不舍，金石可镂。"关于取法贵上、要求贵严的格言，如："不登高山，不知天之高也；不临深溪，不知地之厚也；不闻先王之遗言，不知学问之大也。""青，取之于蓝，而青于蓝；冰，水为之，而寒于水。"关于反省内求，接受砥砺

的格言,如:"木受绳则直,金就砺则利,君子博学而日参省乎己,则知明而行无过矣。"如此等等,通篇触目皆是,真是振聋发聩,提振人心。

实际上,不仅《劝学》篇,《荀子》一书三十二篇文章皆有博大精深的智德思想,甚至形成一个较为精密的智德思想体系,极具思想文化价值以及实践应用的价值,举其要者,约有四个方面。

1. 主体与客体

首先,荀子对于主观与客观、主体与客体的关系在学理上进行了明确的划分:"凡以知,人之性也;可以知,物之理也。"(《荀子·解蔽》)

> 所以知之在人者,谓之知;知有所合,谓之智。智所以能之在人者,谓之能;能有所合,谓之能。(《荀子·正名》)

人为什么是认知的主体?因为"人之性"就有认知的能力。换句话说,"所以知"和"所以能"的认知能力"在人"。那么认知的对象是什么呢?就是主体认知能力所面对的东西,可以认知的东西。具体地说,就是"物"和"物之理"。人的感官"能各有接",所接者就是物。"心有征知",所知者就是"物之理"。"知有所合"与"能有所合",所合者也不外乎主客的结合。在这里,认知主体与认知对象如此分明,说明荀子具有相当明确的主客观念,而这在孔孟和老庄那里都是看不到的。荀子之所以达到这一点,乃是受到后期墨家认知理论的影响,但他所作的理论概括,则超过了后期墨家,所以荀子的知论是高人一头的。

2. 缘天官与心征知

荀子对认知过程的划分，一是根据认知主体在认知能力上有"天官"和"天君"的差别。

第一阶段是"缘天官"（天官即人的五种感觉器官）或"天官意物"。目接物的形状、颜色，耳接物之声响、清浊，口接物之各种甘苦之味，鼻接物之各种香嗅气味，肤接物之各种冷热、滑涩、轻重等等。这都是凭借天官所获得的知。"天官意物"涉及物之属性通过感觉而内化，从而使主体感知到这些属性，成为主观的东西。第二阶段是"心有征知"。杨倞《荀子注》曰："征，召也。言心能召万物而知之。""征知"是说心知乃是一种间接的知，必须通过感官接物，才能使物成为认知的对象。荀子曰："心有征知。征知，则缘耳而知声可也，缘目而知形可也。然而征知必将待天官之当簿其类，然后可也。"（《荀子·正名》）"缘耳而知声"、"缘目而知形"正说明"心有征知"是一种以天官为中介的间接的知。"待"，依赖。"征知"之"必将待天官"是毫无疑义的。但是，从天官之知是否直接即可进入天君心知呢？不行。只有在天官之知"当簿其类"时，才能进入天君心知。只有当感官活动接触到事物的"类"，认知才能进入第二阶段。

荀子上承墨家的"察类明故"，非常注意"类"的分析。他常讲"统类"、"别类"、"比类"、"伦类"。认识的第一阶段可以接触到"类"，但不能把握"类"。第二阶段主要是对"类"的分析概括。"类"概念深入到事物的一般，说明心知具有概括性。而"类"的概括则有可能把握一类事物的"物之理"，进而把握包括各种"物理"的"道"。荀子讲过"心之象道"（《荀子·正名》）的话。他把整个心知的内容叫做"求道"、"思道"、"知道"、"体道"（《荀子·解蔽》），最后达到"心合于道"（《荀子·正名》）的"大清明"（《荀子·解蔽》）状态。在这种状态下,就可以做到"坐于室而见四海,处于今而论久远,疏观万物而知其情,考稽治乱而通其度,经纬天地而材(裁)官万物,制割大理而宇宙理矣"。这就是荀子对理性之知及人类之智的顶礼膜拜和衷心颂扬。

获取了理性认识,更要进一步以"行"作为认知的目的,用"行"检验已取得的认识。荀子说得好:

> 不闻不若闻之,闻之不若见之,见之不若知之,知之不若行之,学至于行之而止矣。行之明也,明之圣人。……故闻之而不见,虽博必谬;见之而不知,虽识必妄;知之而不行,虽敦必困。(《荀子·儒效》)

"闻之"属于间接经验,"见之"属于直接经验,闻、见一般都属于天官之知。这里所谓"知之"专指天君心知。这两个阶段,都是"学"的范畴,也是广义的"知"的范畴。"学至于行",把"行"理解为认知或学习全过程的归宿,也就是认知的目的。这是非常深刻而可贵的古代实践论思想。

3. "兼权"与"解蔽"

人所共知,人的认知活动常常要受到各种条件的制约限制,各种外在因素也可以导致认识误判,所谓利令智昏,情令智昏,嗜欲令人智昏,病痛令人智昏,皆是也。

荀子从大量事实中发现,人们的认知活动常常受到蒙蔽,"心术"的一大任务就是帮助人们"解蔽"。在荀子看来,人们可能受蒙蔽的东西很多,这是思想方法中带有普遍性的问题。他指出:

> 故(胡)为蔽:欲为蔽,恶为蔽;始为蔽,终为蔽;远为蔽,近为蔽;博为蔽,浅为蔽;古为蔽,今为蔽。凡万物异

则莫不相为蔽,此心术之公患也。(《荀子·解蔽》)

在上述五组矛盾方面中,欲与恶、博与浅是由于主观原因所造成的蒙蔽与片面性,始与终、远与近、古与今是由于客观原因所造成的蒙蔽与片面性。比如,处理一件事物,只见其可欲的方面,不见其可恶的方面,而完全肯定;或只见可恶的方面,不见其可欲的方面,而完全否定。又比如,处理一件事物,只见其近利,不知其远害,而一味迷恋;或只见其近害,不见其远利,而完全反对。如此等等,荀子发现"万物异则莫不相为蔽",接触到了辩证法的一个真理,凡是事物的差异都构成矛盾的对立面。如果只见一面,不见另一面,必然要受蒙蔽。

那么怎样"解蔽"以避免片面性呢? 荀子认为运用客观性、全面性的思维方法可以"解蔽",他提出"兼权熟计"的原则。"兼权"即兼顾和通观对立的两个方面,"权"字还有价值权衡之义。"熟计"即周密和充分地考虑其利害得失。"兼权熟计"还有一种说法:"兼陈万物而中县(悬)衡焉,是故众异不得相蔽以乱伦也。"(《荀子·解蔽》)把事物的各个方面、各种要素统统都摆出来,综合考量,在中间确定一个原则或标准,通过比较权衡再作出判断,这样就不会因种种矛盾差异而犯片面性的错误,不会破坏人道的规范("伦"),从而也就可以有效地解除认识上的各种"蔽"端。

然而,具体用什么"权衡"? 权衡的原则或标准就是"道"。荀子曰:"道者,古今之正权也。离道而内自择,则不知祸福之所托。"(《荀子·正名》)"道"是客观的、全面的真理。如果离开"道"而主观地作判断,必定是"偏",必定"蔽于一曲",弄不清祸福究竟是怎样产生的。总之,在荀子看来,坚持客观性克服主观性,坚持全面性克服片面性,尽量把握事物的常则大道,就可以有效地"解蔽"了。

4. 主体修养:虚一而静

人是认识的主体,人又是生活在纷繁复杂的世界中,有些人还要承担多方面的负荷,可谓"百感忧其心,万事劳其形"。在这种情况下,如果不经常修炼自己,就有可能不堪重负了。荀子提出"虚"、"一"、"静"三个概念,他认为只要把握好这三个方面的修养锻炼,就可以不断实现认知的正确与深化。荀子曰:

> 人何以知道?曰:心。心何以知?曰:虚一而静。心未尝不臧(藏)也,然而有所谓虚;心未尝不满(两)也,然而有所谓一;心未尝不动也,然而有所谓静。……虚一而静,谓之大清明。(《荀子·解蔽》)

在荀子看来,虚心并不意味着"无藏",虚心只是"不以所已臧(藏)害所将受",即不用已有的观念去妨碍接受新事物;"专一"也不排斥"兼知",关键在于"不以夫(彼)一害此一",即不要以一个妨碍另一个;荀子认为,心态的冷静并不要人们停止心(思维)的活动,只是不要让梦幻或胡思乱想来干扰正常的认知活动。荀子在这里辩证地处理了"虚"与"藏"、"一"与"两"、"静"与"动"的关系,并注意到"有藏"、"兼知"和思虑活动在认知过程中可能发挥的能动作用。这在先秦时代十分难能可贵,至今仍保持着它认知上的真理性。

智德发展:从汉唐到宋明

中国在先秦之后,智德的探索从未中断,反而更加详实深入。从王充的实知论,到韩愈的师道论,再到朱熹的格物致知论,"智"完全融为中华道德体系不可分割的一部分。仁、义、礼、智作为整个中华道德体系,其发展的脉络恰恰最好地诠释了中华道德文化无与伦比的智慧。

一、痛疾虚妄,务实重效:王充的实知论

我国古代知识论在发展过程中也曾走过弯路,例如两汉时期就出现了神化孔子、神化儒家经典的不良学风,东汉时期还出现了谶纬迷信的泛滥流行,总之荒诞虚妄的东西一时间浊浪滚滚,甚嚣尘上。面对思想界的逆流,王充撰写了《论衡》一书,此书标举"疾虚妄"的鲜明旗帜,展示了其唯物论、无神论的斗士风采,书中《知实》、《实知》等篇凸显了他智论、智德方面的深刻思想,至今值得我们披阅深省。

1. "含血之类(人类),无生知者"

关于认识的来源,王充激烈反对汉代一度流行的圣人"生而知之"或"神而先知"的谬论。他指出:"(谶纬化的)儒者论圣人,以为前知千岁,后知万世,有独见之明,独听之聪,事来则名,不学自知,不问自晓,故称圣,(圣)则神矣。……曰:此皆虚也。"(《论衡·实知》)他专门写了《实知》一篇大作,列举十六个事例,证明即使像孔子、周公那样的"圣人"也既不能"先知",更不是"生知",任何人都只能"知物由学",即知识只能来源于后天的学习。其中涉及孔子的几则材料颇

具戏剧性,略记于下:

> 颜渊炊饭,尘落甑中,欲置之则不清,投地则弃饭,掇而食之。孔子望见,以为窃食。圣人不能先知,三也。
>
> ……
>
> 子畏于匡,颜渊后(断后)。孔子曰:"吾以汝为死矣。"如孔子先知,当知颜渊必不触害,匡人必不加悖。见颜渊之来,乃知不死;未来之时,谓以为死。圣人不能先知,五也。
>
> 阳货欲见孔子,孔子不见,馈孔子豚。孔子时其亡也而往拜之,遇诸涂。孔子不欲见,既往,候时其亡,是势必不欲见也,反遇于路。以孔子遇阳虎言之,圣人不能先知,六也。
>
> 长沮、桀溺耦而耕,孔子过之,使子路问津焉。如孔子知津,不当更问。论者曰:欲观隐者之操,则孔子先知,当自知之,无为观也。如不知而问之,是不能先知,七也。(《论衡·知实》)

王充真是善于摆事实讲道理的一位学人,他在陈述了一系列事实之后明确地指出:

> 人才有高下,知物由学,学之乃知,不问不识。……所谓圣者,须学以圣。……天地之间、含血之类,无性(生)知者。(《论衡·实知》)

即使是"性敏才茂",如果"独思而无据,不睹兆象,不见类验",而主观臆造所谓"预言""谶记",无论怎样口吐莲花,只能是妄诞无稽之谈。

王充并不否认人的才智的差别性。他认为,这种差别绝不在要不要"任耳目以定情实",即需不需通过感官认识事物,而仅在于才智的多少,认识的快慢:"圣人疾,贤者迟;贤者才多,圣人知多。所知同业,多少异量;所道一途,步骀相过。"(《论衡·实知》)而且这种差异并不是绝对的:"愚夫能开精","圣人可勉成"(《论衡·实知》)。

2."不徒耳目,必开心意"

王充把直接的感觉经验作为认识的首要途径。他指出,人们要得到知识,必须"任耳目",依靠感觉器官。"如无闻见,则无所状"(《论衡·实知》),任何表象("状")都来自感官的见闻。举例说,让某人在墙东讲话,使圣人在墙西听着,眼睛看不见对方,这样,他能知某人黑白、高矮、乡里、姓氏等状况吗?显然不能。这就说明感觉经验的重要性。但是王充又强调,人的认识也不能停留在耳闻目见阶段。他说:

> 夫论不留精澄意,苟以外效立事是非,信闻见于外,不诠订于内,是用耳目论,不以心意议也。夫以耳目论,则以虚象为言;虚象效,则以实事为非。是故是非者,不徒耳目,必开心意。墨议不以心而原物,苟信闻见,则虽效验彰明,犹为失实。(《论衡·薄葬》)

这是说,单凭感觉经验,容易迷于"虚象",必须对感性材料进行理性加工,即"不徒耳目,必开心意",才能上升到理性认识而辨明虚实,判定是非。所谓"必开心意"或"以心原物",被看作认识的第二个阶段。按王充的说法,也就是要善于做到"留精澄意",认真思考,"方物比类",进行比较;"揆端推类,原始见终",找出事物之间的因果关系;"推原经验,以处来事",从已知经验,预知未来;还需善于"按兆察迹","由昭昭察冥冥",通过一些征兆迹象,而深入到事物的内部联系。王充的这些知论观点,今日衡之,仍然是很有深度的。

3."考察前后,效验自列"

王充还提出以"效验"范畴作为检验认识的真理性的标准:

> 凡论事者,违实,不引效验,则虽甘义繁说,众不见信。(《论衡·实知》)
>
> 事莫明于有效,论莫定于有证。空言虚语,虽得道心,人犹不信。(《论衡·薄葬》)
>
> 凡天下之事,不可增损,考察前后,效验自列。自列,则是非之实有所定矣。(《论衡·语增》)

王充强调"效验",反对空谈,实际是以所谓"得其实"、"不违实",即主观符合客观作为真理的标准。问题是怎样才能证明主观与客观相符合呢? 王充的回答是"考察前后,效验自列"。

王充用"效验"作为武器,逐项检查谶纬神学的各种谬说,给错误思想以有力的打击。如农民用马粪浸种,防止庄稼长虫,充分证明了虫灾不是上天对百姓的惩戒;用透镜对着太阳取火,证明太阳是客观的火气,而不是神物。特别是他用"效验"这一标准去检验人的言行,专门写下《问孔》篇,对被神化了的孔子提出大量质难。他指出:

> 凡学问之法,不为(畏)无才,难于距师,核道实义,证定是非也。(《论衡·问孔》)

"距师",是反对把古代圣人的思想绝对化;核实,是重新用新材料加以订证。他还说：

> 入山见木，长短无所不知；入野见草，大小无所不
> 识，然而不能伐木以作室屋、采草以和方药，此知草木所
> （而）不能用也。……凡贵通者，贵其能用之也。即徒诵
> 读，读诗讽术，虽千篇以上，鹦鹉能言之类也。（《论衡·
> 超奇》）

博通是为了应用，止于知而不能用，违反效验原则，不过是
"鹦鹉能言之类"。鹦鹉能言，不离禽类，是于事无补的。从
认识发展史的角度看，是先秦唯物主义认知理论的进一步
展开。

从王充在《论衡》中所引的大量材料看，涉及领域异常广
泛，涵盖天文、地理、政治、学术等领域，甚至包括农夫织妇的
生产活动。他常常引用这些劳动者的生产活动经验来说明
认识论的问题：

> 齐都世刺绣，恒女无不能；襄邑俗织锦，钝妇无不
> 巧。目见之，日为之，手押也。……从农论田，田夫胜；
> 从商讲贾，贾人贤。（《论衡·程材》）

以此来说明实践经验在认识中的作用问题。把群众的生产
经验列入认知范围，也就使其知论有了更坚实的基础，而且
具有科学理性的色彩。举例来说，《论衡·书虚》中谈到钱塘
江的潮水问题，据说是伍子胥被吴王夫差杀害后，忠魂不散，
驱水为潮，以表愤慨。王充指出这是欺人之谈，他举出十二
点理由，反复说明涛水决非伍子胥的魂所激起的；接着又列
出六点根据，正面解说潮水是一种自然现象，并正确指出"涛

之起也,随月盛衰,大小满损不齐同"。他在当时的科学水平下能认识到潮水与月亮的关系,确是卓见,非同凡响。英人李约瑟很重视这段批判,把它的原文和译文完整地引在他写的《中国科学技术史》第四卷中。可见王充的知论确实很深刻,真能探微索隐,入木三分。他有许多见解,远远超过当时的水平,这不能不令人惊服。

二、重道尊师,进学无倦:韩愈的师道论

唐代的韩愈是一位儒学大师,他提出了著名的道统说,阐释了儒学的发展过程,并以弘扬儒学为己任,深具影响。他撰写的《师说》《进学解》,针对智育和德育两个重要问题,发表了真知灼见,流传至今仍具有生命力,仍值得我们研讨与借鉴。

1. 关于韩愈的"师说"

在韩愈之前,作为创立私人讲学学派的伟大教育家孔、墨、孟、荀都有关于为师之道的论述。《礼记·学记》更有关于为师之道的系统论述。汉代扬雄还提出了"师者,人之模范"(《法言·学行》)的经典命题。"师说"是韩愈的重要理念,也是他一篇著名文章的题目,《师说》中所论述的观点大体有:

(1) 师与"道"

"道之所存,师之所存。"这八个字真是说论箴言,它是论述教师标准的,意思是教师应该有为师之道,而且要信守其道,"师道"是教师存在的基础。"师"与"道"不可分离,道是师的基础,是师存在的前提条件。在韩愈看来,"道"就是对于儒家仁义礼智等项道德的信仰和坚守;此外,还应把"道"理解为一种主义、信仰和理想。在这二者之间,前者具有历史性、时代性,后者就是一个符合客观规律的教育思想。必

须承认,教师承担的社会职责是离不开政治信仰和道德理想
的,离开政治信仰和道德理想的教师群体是不存在的。

(2) 传道、授业、解惑

《师说》中开宗明义第一句话就是:

> 古之学者必有师。师者,所以传道、受(授)业、解惑
> 也。惑而不从师,其为惑也,终不解矣。

这真是一个伟大的论断,在中国教育史上第一次完整地对教
师任务进行了论述,这个论述千百年来一直在鼓舞着千百万
教师忠实地履行着自己的天职。这个论断的生命力就在于
韩愈在很大程度上揭示了教师的职责这一客观真理。韩愈
所言传道,当然指的是传儒家之道,同时亦可理解为一种主
义、道理。那么教师的首要任务在很大程度上不就是传
道吗?

传道,指传儒家道统,传儒家修身齐家治国平天下之道,
传仁、义、礼、智美德之道。授业,是指讲授古文六艺之类的
儒家经典,使学生掌握一定的古代典籍,具有一定的读写能
力,受到文化知识、技能方面的教育,提高智力智能水平。解
惑,指教师在教学过程中不断地解答学生在"道"与"业"两方
面的疑问困惑。韩愈认为三项任务是紧密相连的,但传道是
教师的首要任务。为了把道传好,就要授业、解惑。传道是
目的,是方向,授业、解惑是进行传道的过程和手段。传道、
授业、解惑,有主有次,有阶有序,职责分明地论述了教师的
职守,不仅完善明确地表述了教师的工作内容,更重要的是
起到了提高教师的社会地位,开创一代师风的作用。传道、
受业、解惑中的传、授、解是一个过程的不同作法。作为教学
过程,传、授、解强调的都是教师的作用,把教育、教学过程中

教师的主导作用提得这样明确,这是前所未有的。

(3)"圣人无常师"

韩愈在《师说》中关于"圣人无常师"的说法,是"道之所存,师之所存"观点在师生关系上的一种引申。《师说》中引孔子拜郯子、苌弘、师襄为师作为例证,又引孔子"三人行,必有吾师"的话作为根据,说:郯子之徒,其贤不及孔子,而孔子却拜他们为师。这说明韩愈重视和信仰的是"道",而不是无条件地迷信某一个人。韩愈说:

> 弟子不必不如师,师不必贤于弟子,闻道有先后,术业有专攻,如是而已。

以谁为师,完全是以"道"之有无和"业"之有无为标准,谁先懂得道,谁有学问,谁就是师。韩愈又反对以社会地位和资历作为取师的标准,他说:

> 无贵无贱,无长无少,道之所存,师之所存也。

只要闻道在先或有专长就可为师,而不要管其他条件。此外,他还认为师生关系也是相对的,学生也会有比教师高明的地方。这一思想是深刻的,具有一定的民主性。他注重引导学生以主要精力求"道"学"业",而不盲从某一教师的说教。显然这是对教学相长思想的重要发展,也是对于孔子"当仁不让于师","三人行必有吾师"光辉论述的继承弘扬,为我国古代智德知论增益了宝贵思想财富。

2. 关于韩愈的"进学解"

关于学生如何进学益智的问题,在《进学解》一文中有着很多精到的论述。

（1）业精于勤，行成于思

韩愈在《进学解》里提出的第一句名言就是：

业精于勤，荒于嬉；行成于思，毁于随。

学业要达到"精"的要求，取决于"勤"；德行要实现"成"，取决于"思"。前人对这些简单的道理都有所论述，但它是学习成败的规律。韩愈的贡献就在于他用明确、形象的语言，把这种认识固定下来了，对后来人们的学习和修养起了极为有益的影响，成为人们的座右铭。自古以来，在学业上有成就的人都离不开勤奋和独创。韩愈在文学上的较深造诣，就是靠这两条得来的。在《进学解》中他谈到自己如何孜孜以学，长年不懈的情形：

口不绝吟于六艺之文，手不停披于百家之编。……贪多务得，细大不捐。焚膏油以继晷，恒兀兀以穷年。

他手不离书，以读书为乐："平居虽寝食未尝去书，怠以为枕，餐以饴口。"（皇甫是《韩文公墓志》）韩愈在《答李翊书》中，还讲述了他的文学修养过程，如何经过精研覃思，从模仿到独创，从迷罔到自得。开始时，"非三代两汉之书不敢观，非圣人之志不敢存。处若忘，行若遗，俨乎其若思，茫乎其若迷"，一心于学，如醉如痴，不暇旁骛，但思想尚不成熟，虽欲去陈言立新语，"戛戛乎其难哉"。数年之后，认识深入了，能够识正伪，辨白黑，有了自己的独立见解。这时进行写作则"汩汩然来矣"，比较自如了。若干年后，文思如泉涌江泻，达到了"浩乎其沛然矣"的境地，创作进入丰收季节。这种描述符合创作实践和认识发展的辩证过程，说明一个人要使自己在学

233

业上成熟并有创造性的贡献是十分艰难的,超乎常人的学术
成果必须经过多年的刻苦钻研和独立思考,才能获致。

(2)提要钩玄,含英咀华

在读书方法方面,韩愈很有心得,他说:

> 记事者必提其要,篡言者必钩其玄,贪多务得,细大
> 不捐。

这就是说,阅读纪事的书,必须提炼其纲领,阅读义理的书,
必须探索它的隐微大义。"提要钩玄",就是要深入其内,洞
晓本质含义,掌握书中的要旨和奥妙,这就是"约"。"贪多务
得,细大不捐",就是要多读,要"博"。读书既要博又要约,由
博而约,由约而博,博约结合,方能造就博雅学人。另外,读
古人的文章时,还要"沉浸浓郁,含英咀华",就是要沉浸在文
章的浓厚馥郁的味道中,细细地咀嚼品味,才能领略其中的
精华。

(3)教法灵活,重视写作

韩愈给学生讲课,不是千人一面,照本宣科,而是采用多
种形式活跃教学。"讲评孜孜,以磨众生,恐不完美,游以恢
笑啸歌,使皆醉义忘明。"(皇甫是《韩文公墓志》)他除了讲解
义理外,有时作诙谐发笑之语,有时深情地吟唱诗歌,使学生
们沉醉在他的讲学之中。这表现出韩愈作为文学家的特点,
也是他爱才育才,热心提掖后生,注重师生感情的表现。教
学是一种感情的艺术,这种感情不仅来自对教材内容的深刻
理解,更重要的是来自对教育事业、对青年一代、对人才的深
情笃意。韩愈"以师自任",对教育事业的深厚感情正是他教
学生动活泼、不拘俗套的原因所在。

在写作教学上,他作为著名文学家当然是更有见地。从

"文以载道"的观点出发,他教学生做文章,首先要求辞理充沛,即所谓"闳其中""以道弘文"。就是说写文章首要的是理深道正。韩愈说他自己就是因为好古道而为古文的,并不是为古文而好古道的。他认为道盛则气盛,气盛则文昌。文以贯道,文以明道,文以载道,这是写作的基本立足点。同时为了宣传道、论证道,对于文笔上的要求也是很高的。他说,写文章文笔要奇雄简约,浩浩荡荡,势不可当。他本人写的文章都不长,但是条理清楚,很有力量。这是文与道的很好的结合。在《进学解》中,他将历代古文的艺术特点指示给学生说:"周诰殷盘,诘屈聱牙;春秋谨严,左氏浮夸,易奇而法,诗正而葩;下逮庄骚,太史所录、子云相如,同工异曲。"他对于屈原、孟轲、司马迁、司马相如、扬雄的文章很佩服,并向他们学习,也要求学生向他们学习。他作文还要求有创造性,反对"蹑常途之役役,窥陈编以盗窃",而能够"抒意立言,自成一家之语"。韩愈在《答刘正夫书》中还说过"师其意,不师其辞"的话,意思是在写作过程中不必拘泥于章句,也不要照搬前人他人词句,而要融会贯通,自立新意,写出有创见、有个性的文章。

三、即物穷理,豁然贯通:朱熹的格物致知论

朱熹是南宋著名理学家,他和北宋二程(程颢、程颐)的理学体系合称程朱理学。宋明理学亦称新儒学,影响于我国宋元明清时期思想界极为深远。

1. 格物穷理,力求贯通

"格物致知"一语本来出于儒家经典《大学》,朱熹的"格物致知"论集中见于他所补纂的"大学格物致知传",这则"补传"言简意赅,堪称经典:

> 所谓致知在格物者,言欲致吾之知,在即物而穷其
> 理也。盖人心之灵,莫不有知,而天下之物,莫不有理,
> 惟于理有未穷,故其知有不尽也。是以《大学》始教,必
> 使学者即凡天下之物,莫不因其已知之理而益穷之,以
> 求至乎其极。至于用力之久,而一旦豁然贯通焉,则众
> 物之表里精粗无不到,而吾心之全体大用无不明矣。此
> 谓物格,此谓知之至也。(《大学章句》)

这段论述非常重要,兹略释如下:

首先,朱熹格物之"物"是很宽泛的。他说:"物犹事也","天下之事皆谓之物","或考之事为之著,或察之念虑之微,或求之文字之中,或索之讲论之际"。总之,朱熹所谓"事"、"物"包括的范围很广,既包括外物,又包括仁、义、礼、智等人心中的观念形态的东西。再者,朱熹不承认"物"是不依赖于意识而独立存在的客观实在,相反他认为"物"只不过是"理"借以表现自己的外在形式。他说:"物者,理之所在,人所必有而不能无者。"(《朱子语类》卷十五)这正是贯彻了他的"理"决定"事"的哲学前提。

其次,朱熹格物之"格",也不等于探索研究。他解释"格"为"至"、为"极"。所谓"格物"就是即物穷理,要达到理之"极至"。他说:"格,至也。""穷至事物之理,欲其极处,无不到也。"(《大学章句》)穷尽事物之理,八分不行,九分不行,九分九也不行,非十分不可,"须事尽极其理,方是可止之地"(《朱子语类》卷十五)。

再次,从认识的目的来看,朱熹的"格物致知"主要是为了引导人们"穷天理,明人伦,讲圣言,通世故"(《文集·答陈齐仲》),以求"为君止于仁","为臣止于敬","人人止于至善",实现对于伦理道德的深切体悟与践行。朱熹概括地说:

　　　　所谓格物云者,或读书讲明义理,或尚论古人别其
　　是非,或应接事物而处其当否,皆格物事也。(《大学或
　　问》)

这里所谓"应接事物"主要是指接人待物,处理好人伦关系;
至于"当否"的标准,在他看来就是:

　　　　父子有亲,君臣有义,夫妇有别,长幼有序,朋友有
　　信。(《朱文公文集·白鹿洞书院教规》)

严格地讲,朱熹所强调的"格物致知"的目的,属于社会伦理
范围。他虽然也涉及一些生活实践的内容,如:

　　　　虽草木,亦有理存焉。一草一木岂不可以格? 如麻
　　麦稻粱,甚时种,甚时收,地之肥,地之硗,厚薄不同,此
　　宜种某物,亦皆有理。(《朱子语类》卷五十八)

但又认为:这不是真的学问,格物的主要目标在于阐发"天
理"。
　　最后,从认识的过程来说,朱熹的认识理论含有稍多的
合理因素。他把认识分成"格物"和"致知"、"即物穷理"和
"豁然贯通"两个阶段。"格物"或"即物"是认识的初级阶段,
是在具体事物上穷致其理。朱熹认为在这个阶段至少有两
点局限性:其一,穷格具体事物之理,还不能认识理的全体,
即"总天地万物之理"的太极;其二,这时还只是认识外物之
理,尚未认识吾心本具众理,不必外求,也就是说还没有克服
主体和客体的对立。所以还必须有"致知"的功夫。
　　"致知"或"豁然贯通"是认识的高级阶段,它是以格物为

基础的。只有"今日格一物,明日格一物","积累既多,则胸中自然贯通"(《朱子语类》卷十八),才能做到"众物之表里精粗无不到,而吾心之全体大用无不明"(《大学章句》)。可见,"豁然贯通"乃是认识的重大飞跃。到了认识的这个阶段,才能尽穷事物之理,达到吾心无所不知,实现"穷理"与"尽心"的统一。

应该肯定,这一学说是蕴含着若干合理因素的。第一,朱熹讲认识过程并不是像某些主观唯心主义哲学家那样,直接向内心去体察,而是强调要通过即物而穷理,反对离物而穷理,这就含有从外到内、从存在到意识、从客观到主观的意思。第二,朱熹强调认识发展有一个由量的积累到质的飞跃的过程,这又含有辩证的思想因素。第三,他认为人的认识一旦实现了飞跃,就能做到表里具悉、粗精赅备,这也包含一些对理性思维的正确见解。人的理性认识确实具有举一反三、触类旁通的作用,朱熹是看到这一点的。

2. 启疑导思,心理合一

朱熹对孔子启发式教学颇有心得,他诠释孔子"不愤不启,不悱不发"一语极为到位:"愤者,心求通而未得之意。悱者,口欲言而未能之貌。启,谓开其意;发,谓达其辞。"(《四书集注》)他还说:"指引者,师之功也。"教师只是"示之于始而正之于终",对学生的学习起引导、指正和解疑的作用。他特别强调学生应成为学习的主体,做学问要靠学生自己的积极主动性。他说:"读书是自己读书,为学是自己为学,不干别人一线事,别人助自家不得。"(《朱子语类》卷十三)好比饮食:"不能只待别人理会,来放自家口里。"(《朱子语类》卷十三)他坦率地告诉学生:"某此间讲说时少,践履时多,事事都用你自己去理会,自去体察,自去涵养。书用你自去读,道理用你自去探索,某只是做得个引路底人,做得个证明底人,有疑难处，同商量而已。"（《朱子语类》卷十三）朱熹的启发式教学，主要是启发学生发现疑问、提出疑问。他认为：学贵知疑，疑则有进，疑问越多，进步也越快、越大，小疑则可小进，"大疑则可大进"（《性理精义》）。他说：

> 读书始读，未知有疑。其次则渐渐有疑。中则节节是疑。过了这一番后，疑渐渐解，以致融会贯通，都无所疑，方始是学。（《宋元学案·晦翁学案》）
>
> 读书无疑者，须教有疑。有疑者却要无疑，到这里方是长进。（《学规类编》）

朱熹继承和发展了孔子学思并重的思想，指出：

> 夫子说："学而不思则罔，思而不学则殆。"学便是读，读了又思，思了又读，自然有意。……若读得熟而又思得精，自然心与理一，永远不忘。（《学规类编》）

这就是说，做到学思结合，才能把学得的东西变成自己内在的东西。

3. 博专结合，温故知新

朱熹正确处理博学与专精的关系，并把博与专结合作为进行教学和指导学习的重要原则。他提倡博学，他主张"天地万物之理、修己治人之方，皆所当学"（《朱子语类辑略》）。他以盖房子为例，说明只有"阔开基，广开址"（《朱子语类辑略》），才能使建筑物高大坚实。在解释《论语》中"多闻多见"时，他指出："多闻多见两字……正是合当用功处……不然则闻见孤寡，不足以为学也。"

但是博学不能"杂而无统"，应当"博而后约"，将博与约统一起来，"惟先博而后约，然后能不流杂"（《朱文公文集》卷三）。他主张做学问应当是"开阔中又著细密，宽缓中又著谨严"，否则"读书贪多，最是大病"（《朱子语类》卷一〇四），"若务贪多，则反不曾读得"（《朱子语类》卷十）。

博专结合、由博返约包含着深刻的方法论的意义，朱子对此有深刻认识。在他看来，首先，通过博学，掌握同类事物的一般原理，"求众物比类之同"；然后，以一般原理去分析具体事物的特殊规律，达到专一精深，"究一物性情之异"。如果"但求众物比类之同，而不究一物性情之异，则于理之精微者有不察矣"（《大学或问》）。相反，但求一物性情之异，也不能做到"众物之表里精粗无不到，吾心之全体大用无不明"的目的。在博学的基础上专精，以专精统驭博学，朱熹的致知学说是很精当的。

朱熹深刻解读孔子"温故而知新"的观念，他说得质朴而明白：

> 故者，旧所闻；新者，今所得。言学能时习旧闻，而每有新得。（《四书集注》）

他认为温故与知新是有机结合的。首先，温故是知新的基础。"须是温故方能知新，若不温故便要求知新，则新不可得而知，亦不可得而求矣。"（《朱子语类》卷一）然而温故而不知新，学习就无法深入，也达不到教学的目的。"温故又要知新，但温故而不知新，故不足以为人师。"（《朱子全书·论语一》）通过不断复习，熟练掌握旧有知识，就能加深理解，即推陈出新，"时时温习，觉滋味深长，自有新得"（《朱子语类》卷二四）。

4. 注重教规，学必有则

朱熹一生精治儒学，从事教育数十载，在其身后，元、明、清三代的教育，无论官学还是私学，无不蒙其影响。他认为受教获知益智是一生的事情。他把学校教育分成小学、大学两个阶段。小学教育是人生打基础的阶段，应抓早、抓好，他甚至认为"胎教"很有必要，应积极提倡和推广，"如此则生子形容端正，才智过人"（《小学集注》）。在小学教育阶段，"教人以洒扫、应对、进退之节，爱亲、敬长、隆师、亲友之道"，"使其习与知长，化与心成"（《小学书题》）。大学教育是小学教育的扩充和深化，要求学子在道德、学问和智能诸方面有较高的造诣，二者的培养目标是不同的：

> 小学之事，知之浅而行之小者也；大学之道，知之深而行之大者也。（《小学辑说》）

朱熹执教培养后学，以正面引导为主，同时注重规章制度的规范作用，他认为"学者先须置身于法度规矩之中"才能"有进步"（《答潘叔昌》）。他曾亲自为小学教育制定《童蒙须知》、《训蒙斋规》，详细规定各种规范十条，包括衣服冠履、语言步趋、洒扫清洁、读书写字、待人接物、杂细事宜等等，以使一言一行皆有章可循，有规可守。在大学教育方面，他制定的《白鹿洞书院教规》是很著名的。正因如此，《白鹿洞书院教规》被人们视为集儒家大成的教育思想和智德理念，在我国古代社会得到了广泛的认同。

智德概说

中国古代智德思想是极其丰富的:围绕着知论,涉及到学知与生知、主观与客观、见闻之知与德性之知、经验之知与理性之知等概念;关于智论,涉及到智能的来源、发展和检验证明等学说;关于学习,涉及到学与习、知与行、格物与穷理等范畴;关于教书育人,涉及到师与生,师与道、传道与授业、启疑与导思、博学与专精、温故与知新等教育教学理念;关于主体修养,涉及到兼权与解蔽、虚静和专一、深造与自得等理论和方法。如此丰富的思想所要回答和解决的问题,集中于一点,不外乎关注人生在世如何求知益智、成德成才以及完善自我,完成主体修养,以至培铸更多的仁、义、礼、智四德兼备的君子。除上述诸多思想元素以外,中国古代先哲在智德知论方面还形成以下几个方面的通见通识,更属于常道常则,极为重要。

一、在仁智关系、德才关系上主张以智辅仁,以德帅才

仁与智是中国古代四德之中的两个重要德目,其设立的共同目标都是为了规范人的修养,提升人的素质,所以孔子说"德之不修,学之不讲","是我忧也"(《论语·述而》)。孔子还说过这样几句话:"好学近乎智,力行近乎仁。"(《中庸》)"好仁而不学,其蔽也愚。"(《论语·里仁》)子贡曰:"学不厌,智也;教不倦,仁也。"(《孟子·公孙丑上》引)荀子则有这样的话语:"知而不仁,不可;仁而不知,亦不可。"(《荀子·君道》)他主张为学者的崇高境界是:"以仁心说,以学心听,以

公心辩。"(《荀子·正名》)《中庸》也提出:"君子尊德性而道问学。"据上可知:人之修为,有修德与为学两个方面,前者侧重于仁,后者侧重于智,其实仁智是统一的。

不过,有一个问题需要再讨论一下,即中国传统伦理道德观念中"智"的涵义的问题。有学者认为:孔子儒学的"知"或"智"基本上是对善恶的道德认知,而不包含对客观事物及其规律的认知,而这一点同古希腊大哲苏格拉底"知识即美德"的命题截然相反,它表达的义涵仅仅是"美德即知识"的意思。我们认为:这种看法多少有些绝对化、片面性,弄得不好会导致把知识理性的重要义理从中国哲学和伦理学中完全剥离,致使误判哲学认识论在中国哲学中无由产生,误判中国哲人只有圣贤气象而毫无智者风度,而这种看法与事实是不相符的。从孔子到墨子、荀子,到二程、朱熹,再到王夫之、方以智,代代显学,荦荦大家,既是贤者,也是智者,在他们的观念里,道德理性与知识理性基本上是统一的。

至于中国哲学家、中国伦理学家,是把"智"当作一项美德来看的,是以智德为体的,但这个体也是"发用流行"的,智德从体到用有多方面的表现,涉及各个领域,因此"智"在政治家那里表现为治国理政之智,在军事家那里表现为克敌制胜之智,在巨商大贾那里表现为理财致富之智,在许多杰出人物的生活日用之中表现为处世为人之智,接人待物之智,以及自知之明、知人之智。甚至在有些哲学家那里表现为主观认识客观、主观改造客观之智,如孔墨,如荀韩,如王充、杨泉,如二程、朱熹、王夫之,如此等等,不胜枚举。

当然,也应看到:中国古代哲学家、伦理学家在涉及仁智关系上,是主张以仁为主、以智辅仁的。二者的排序关系、轻重缓急也是有所不同的,仁智相比,仁德还是第一位的,仁德

是核心,是灵魂。在这方面,北宋司马光提出的"德帅才资"论,是儒家"以智辅仁"论的典型表现。其文曰:

> 夫聪察强毅之谓才,正直中和之谓德。才者,德之资也;德者,才之帅也。
>
> 是故才德全尽谓之"圣人",才德兼亡谓之"愚人";德胜才谓之"君子",才胜德谓之"小人"。凡取人之术,苟不得圣人、君子而与之,与其得小人,不若得愚人。何则?君子挟才以为善,小人挟才以为恶。挟才以为善者,善无不至矣;挟才以为恶者,恶亦无不至矣。
>
> 夫德者人之所严,而才者人之所爱;爱者易亲,严者易疏,是以察者多蔽于才而遗于德。自古昔以来,国之乱臣,家之败子,才有余而德不足,以至于颠覆者多矣,……故为国家者苟能审才德之分而知所先后,又何失人之足患哉!(《资治通鉴》卷一)

此段文字向来为中国史家所重视,亦为伦理学家所关注,的确能体现出历代儒家学者以仁统智,以智辅仁的宗旨。

二、在学业进取方面强调学贵志恒,规划人生

学者益智进学,贵在立志,贵在有恒。"志"就是奋斗追求的目标,"志"就是人的追求自己思想和目标的精神意志。"恒"就是矢志不渝、愈挫愈奋的进取精神。孔子就说过:有一句名言叫做"人而无恒,不可以作巫医",此言不虚,"不恒其德,或承之羞"(《论语·子路》)。因此,凡属士人都应具备"弘毅"之志,须知"任重而道远"(《论语·泰伯》)。墨子说:"志不强者智不达,言不信者行不果。"荀子说:"无冥冥之志者,无昭昭之明;无惛惛之事者,无赫赫之功。"(《墨子·劝学》)诸葛亮《教子书》云:"才须学也,非学无以广才,非志无以成学。"这些立志成才、立志为学、志强达智的警策之言,影响是极为深远的。在此基础上,许多文学大家提出:"穷且益坚,不坠青云之志"(王勃),"心懔懔以怀霜,志眇眇而临云"(陆机),"我志在删述,垂辉映千春"(李白),"古之立大事者,不唯有超世之才,亦有坚韧不拔之志"(苏轼),更是励人心志,摧人奋进的警世名言。宋明时代的理学心学大师对于为学励志的方向、方法指示更为具体。朱熹云:

> 为学虽有阶渐,然合下立志,亦须略见大概规模。为学之道,莫先于穷理;穷理之要,必在于读书;读书之法,莫贵于循序而致精;而致精之本,则又在于居敬而持志。(《朱子全书·学一》)

可见,"持志居敬"、"循序致精"、"读书穷理"这几个关键环节,是每一个有志为学的人必须要做的功课,而"学者大要立志"则是根本的前提。王阳明说得更加形象:

> 志不立,天下无可成之事,虽百工技艺,未有不本于志者……志不立,如无舵之舟,无衔之马,飘荡奔逸,终亦何所底乎?
> 立志用功如种树然:方其根芽,犹未有干;及其有干,尚未有枝。枝而后叶,叶而后花……但不忘栽培之功,怕没有枝叶花实?(《大学问》)

深刻揭示出立志为学是一个持续强化的过程,绝不能半途而废;掘井不及泉,犹为弃井;栽树而不活,犹为死树;岂不可惜？蕴意深湛，耐人寻味。

三、为了学术文化的进步，倡导和而不同，百虑一致

认识发展和智德培养还有一条重要规律，那就是：不仅需要坚持真理的精神，还要具有兼容并包的宽广胸怀。早在春秋时代，晏婴就提出了"和与同异，相反相济"的思想，在中国文化教育史上形成了"尚和去同"的优良传统。孔子就主张："君子和而不同，小人同而不和。"《易传》亦云："天下一致而百虑，同归而殊途。"史家班固认为：

> 九家之术……其言虽殊，辟犹水火，相灭亦相生也。仁之与义，敬之与和，相反皆相成也。(《汉书·艺文志·诸子略》)

在他看来，学术上的差别和对立，有利于知识智能的进步，所以他认为：

> 若能修六艺之术，观九家之言，舍短取长，则可以通万方之略也。(《汉书·艺文志·诸子略》)

针对狭隘学人排斥不同学术见解的做法，每每有大思想家力斥其非。东汉仲长统就提出："同于我者何必可爱，异于我者何必可憎。"(《意林》引)北宋张载也指出："乐己之同，恶己之异，便是固、必、意、我，无由得虚。"(《张子语录》)北宋苏轼曾对王安石提出尖锐批评：

> 王氏之文，未必不善也，而患在于好使人同己。自孔子不能使人同，颜渊之仁，子路之勇，不能以相移；而

　　王氏欲以其学同天下。地之美者,同于生物,不同于所
　　生;惟荒瘠斥卤之地,弥望皆黄茅白苇,此则王氏之同
　　也。(《答张文潜书》)

苏轼与王安石的政治见解和学术思想都有严重分歧,他对王
安石的批评是否恰当是另一个问题,这里暂且不论;但若如
苏轼所说学术思想单调得如同盐碱地上的黄茅白苇,认识发
展的生机也就被扼杀了。
　　明清之际学术史家黄宗羲在总结中国学术思想发展历
程时,对真理发展规律有深刻的理解,提出了著名的"一本万
殊"的学术史观。他说:

　　古之君子,宁凿五丁之间道,不假邯郸之野马,故其
　　途亦不得不殊。奈何今之君子必欲出于一途,使美厥灵
　　根者化为焦芽绝港!(《明儒学案·自序》)
　　学问之道,以各人自用得着者为真,凡依门傍户、依
　　样葫芦者,非流俗之士,则经生之业也。此编(指《明儒
　　学案》)所列,有一偏之见,有相反之论,学者于其不同
　　处,正宜着眼理会,所谓一本而万殊也。以水济水,岂是
　　学问?(《明儒学案·凡例》)

在黄宗羲看来,学术思想上的各种观点,包括"相反之论"、
"一偏之见",都可以促进认识的发展,"万殊"和"一本"并不
是绝对对立的。如果一定要强迫各种认识"出于一途",那么
智慧的"灵根"必然被扼杀殆尽。清末魏源也同样有见于此,
指出"独得之见,必不如众议之参同","合四十九人之智,智
于尧禹"(《默觚》)。而对于上述思想最经典的概括则是《中
庸》中的格言警句:"万物并育而不相害,道并行而不相悖",

"大德敦厚,小德川流","此天地所以为大也"。言简意赅,恢宏大度,难怪乎其千古流传,至今不衰,被视为学术文化多元化的斗杓南针。

原典选读

尚智精神警言典例

1. 孔子乐学

【原文】孔子晚而喜《易》……读《易》，韦编三绝。

孔子以诗书礼乐教，弟子盖三千焉，身通六艺者七十有二人。

孔子以四教：文，行，忠，信。绝四：毋意，毋必，毋固，毋我。（《史记·孔子世家》）

【诠解】孔子无疑是中国古代最伟大的教育家和渊博学者。他从来不以"天纵之圣"或"生而知之者"自居，他认为：如果说自己有一些成绩，也不过比别人励志、敏求、刻苦一些而已。他一生"学而不厌"，纯是智者应有的态度；"诲人不倦"，纯是仁者应有的精神。"发愤忘食，乐以忘忧，不知老之将至"（《述而》），是他一生治学精神的写照。他晚年研读《周易》，认为精通易理则可以使人少犯错误。一部竹简易经，他翻来翻去，从春到夏，从秋到冬，经年累月，维系简编的皮条竟然折断了三次，他就耐心地换了三次。这就是韦编三绝的故事。作为读书人，我们从中可以体会出一种怎样的治学精神呢？

2. 董子苦学

【原文】董仲舒，广川人也。少治《春秋》，孝景时为博士……盖三年不窥园，其精如此。进退容止，非礼不行，学士皆师尊之。

臣闻良玉不瑑，资质润美，不待刻瑑，此亡异于达巷党人不学而自知也。然则常玉不瑑，不成文章；君子不学，不成其德。（《汉书·董仲舒传》）

【诠解】董仲舒是中国儒学发展史上的一个关键人物，是儒学重镇、经学大师，在西汉当时他就是学界顶礼膜拜的领袖，在他身后又影响中国思想文化界二千余年，其学问可谓大矣。但若问他的博大学识缘何而来，《汉书·董仲舒传》给我们提供了他治学期间"三年不窥园"的一段佳话，答案也就不言自明了。这里引述董仲舒的一段名言，所阐述的就是"玉不琢不成器"，"人不学，不知道"的真理。

3. 船山勤于著述

【原文】自潜修以来，启瓮牖，秉孤灯，读十三经、二十一史及张、朱遗书，玩索研究，虽饥寒交迫，生死当前而不变。迄于暮年，体羸多病，腕不胜砚，指不胜笔，犹时置楮墨于卧榻之旁，力疾而纂注。颜于堂曰："六经责我开生面，七尺从天乞活埋。"（《姜斋公行述》）

【诠解】船山即明末清初的大思想家王夫之，他是湖南衡阳人。他生活于"天崩地解"的明清之际，他是明朝遗臣，清兵入关南下到湖南后就追捕他，所以他只能躲藏在山林洞穴之中。面临厄运，他刻苦潜修，努力著述，终于写成专著一百多种、四百多卷，后人编为《船山全书》。当时就有学者称道他："洞庭之南，天地元气，圣贤学脉，仅此一线。"

4.《中庸》论学者修习之道

【原文】故君子尊德性而道问学，致广大而尽精微，极高明而道中庸。

博学之，审问之，慎思之，明辨之，笃行之……人一能之，

己百之;人十能之,己千之。果能此道矣,虽愚必明,虽柔必强。(《中庸》)

【诠解】子思说的"尊德性而道问学,致广大而尽精微,极高明而道中庸",极具概括性,古代君子德业双修、公能并进的追求尽在于斯,治学益智的目标、境界也尽在于斯。实现这一目标和境界,要在学、问、思、辨、行五个层级、五个方面下工夫,还要有"比别人更努力"的奋斗精神,世上没有天才,只有苦斗!

5.《墨子·小取》论逻辑

【原文】夫辩者,将以明是非之分,审治乱之纪,明同异之处,察名实之理,处利害,决嫌疑焉。摹略万物之然,论求群言之比。以名举实,以辞抒意,以说出故。以类取,以类予。有诸己不非诸人,无诸己不求诸人。(《墨子·小取》)

【诠解】墨子对论辩的作用、目的、方法、步骤及论辩道德,都做出了正确的规定。

6. 孟子以下棋比喻求学

【原文】今夫弈之为数,小数也;不专心致志,则不得也。……使弈秋诲二人弈,其一人专心致志,惟弈秋之为听。一人虽听之,一心以为有鸿鹄将至,思援弓缴而射之,虽与之俱学,弗若之矣。为是其智弗若与? 曰:非然也。(《孟子·告子上》)

【诠解】孟子以下围棋为例,形象地说明集中心志的重要性。二人在同一教师指导下学习,一个专心致志;另一个却胡思乱想,心里想着有天鹅要飞来,准备拿弓箭去射它。其结果,后者的学习一定不如前者,这不是由于他们智力的差异,而是专心与不专心所致。孟子还认为学习不仅要专心,而且还要有恒心,学习最忌一曝十寒,亦忌掘井不及泉。

7. 朱子《白鹿洞书院教规》

【原文】五教:父子有亲,君臣有义,夫妇有别,长幼有序,朋友有信。

为学之序:博学之,审问之,慎思之,明辨之,笃行之。

修身之要:言忠信,行笃敬,惩忿窒欲,迁善改过。

处事之要:正其谊不谋其利,明其道不计其功。

接物之要:己所不欲,勿施于人。行有不得,反求诸己。
(《白鹿洞书院教规》)

【诠解】朱子显然汲取了儒家前修先贤的许多观念,例如"五教"是子思、孟子的思想,"为学之序"是荀子、《礼记·大学》的思想,"修身之要"是孔、孟、《易传》的思想,"处事之要"是董仲舒的思想,"接物之要"是孔孟等人的思想。

结　语

　　仁、义、礼、智是中华民族的四大美德,也是中国传统伦理道德的重要观念,而其核心无疑是"仁"这一范畴。仁摄诸德,涵盖人间万事,正如朱子所说:"仁通上下:一事之仁,也是仁;仁及一家也是仁;仁及一国也是仁;仁及天下也是仁。"(《朱子语类》卷三十三)本书正是依据这种基本看法,展示了中国传统道德的基本体系。同样,依据这种基本看法,我们认为:孝道、诚信、廉洁诸项道德范畴,在中国传统道德体系中,也很重要;特别是结合我国当今的社会现实生活所出现的某种程度的缺失,需要特别地引起我们重视,故在此略作补论。

一、孝道:家庭伦理

　　孝的理念,是中华民族非常悠久的道德传统,孝道在中华道德体系中占有十分重要的地位。《尚书·尧典》中就说:"克谐以孝。"《说文解字》解释道:"孝,善事父母者。从老省,从子,子承老也。"孝字的原初语义就是指子女对父母的单向关系,例如孟子说:"孝子之至,莫大乎尊亲。"(《孟子·万章上》)后来孝的外延不断扩充,突破了子女对父母的感恩赡养,乃至在家庭生活之外,泛指晚辈对长辈的尊敬扶助。而孝、悌、忠、信,是密切联系的个人道德操守,如孔子说:"君子务本,本立而道生。孝悌也者,其为仁之本与!"(《论语·学而》)《孝经》上则说:"夫孝,始于事亲,中于事君,终于立身。""夫孝,德之本也。"(《孝经·开宗明义章》)"夫孝,天之经也,地之义也,民之行也。"(《孝经·三才》)所以孝悌、忠孝语词经常连用,孝的社会意义也就不断被抬高,以至于要"以孝治天下"(《孝经·孝治》)。

孝道是非常重要的有待积极吸收、改造的传统道德资源。尽管孝道观念的传承中也有少部分过于极端的例子,但发扬传统孝道的正面能量,完全契合和谐社会的主题。一般说来,孝道的对象十分宽泛,不仅指对父母,还包括对祖父母、外祖父母、岳父母,以及伯、叔、姑、舅等所有亲属长辈,也可以指邻里村舍的长者。孝道的内涵也非常丰富,绝不仅仅体现为赡养老人这一种行为,还包括敬亲、悦亲、遵教、承志、侍疾、拯难、哀祭等活动。《礼记》上说:"大孝尊亲,其次弗辱,其下能养。"(《礼记·祭养》)自古以来,孝心都不拘泥于在身边侍奉父母,更突出做父母所期望的事,做于国于民有益的事。因而青年孝子尽孝经常表现为努力学习,好好读书,长大之后做一个有益于家国天下的人,甚至光宗耀祖,惠及乡里。这种"孝"被称之为"大孝",故而这种"孝"往往和"忠"连在一起,称为"忠孝双全"。当今时代,家庭和谐、邻里和谐需要"长幼有序"的伦理精神,其中孝心所蕴涵的友善与尊敬,正是人际和谐关系的基础。而孝道中为家族和乡邻争光的责任感和荣誉感,也正是报效民族和国家的奉献精神。

目前,我国已经开始加速进入老年化社会,而我国家庭的伦理状况、亲子关系并不令人感到乐观。有苛求老人的,有长期冷落老人的,有为分配家产而反目成仇的,"啃老一族"队伍有扩大趋势,甚至虐待老人的事情也时有发生。这些现象都严重地违背了孝道最基本的精神。要建立老有所养、老有所依的和谐社会,必须有良好的家庭道德文明建设做基础。我国千百年传承的优秀"家训"、"家风",无不把孝道作为极其重要的内容。孝道正是当今中国最值得弘扬的家庭道德文明。

二、诚信:社会伦理

"诚信"在我国古书中早有记载,而且是非常重要的道德要求。如《诗经·卫风·氓》:"信誓旦旦,不思其反。"《尚书·康王之诰》:"信用昭明于天下。"《尚书·仲虺之诰》:"克宽克仁,彰信兆民。"还有"人之所助者,信也"(《周易·系辞上》),"君子进德修业。忠信,所以进德也。修辞立其诚,所以居业也"(《周易·乾·文言》)。儒家对诚信的重要价值和意义有许多非常细致的探讨。孔子认为对于个人来说,信是君子的品质之一。"君子以义为质,礼以行之,孙以出之,信以成之。君子哉!"(《论语·卫灵公》)"人而无信,不知其可也。"(《论语·为政》)"与朋友交,言而有信。"(《论语·学而》)孔子还提出治理国家最基本的就是要取信于民,否则无信不立。汉代董仲舒在继承和总结先秦诸子百家思想的基础上,在"四基德"的基础上,把"信"添加进来,构建了仁、义、礼、智、信"五常德",从此深化了中国传统道德体系。宋明时期是中国道德思想发展的重要时期,诚信被看得更加重要。"诚善于心之谓信,充内形外之谓美,塞乎天地之谓大。"(《二程遗书》卷一)朱子则说:"人道惟在忠信,'不诚无物'。人若不忠信,如木之无本,水之无原,更有甚底! 一身都空了。"(《朱子语类》卷二十一)由此可见,诚信在古代传统道德中的地位至为重要。

"诚"与"信"语义相通,可以互训,但细究起来,二者的本义又略有细微差异。《说文解字》上说:"信,诚也,从人从言。""诚,信也,从言成声。""诚"针对的是人的内心与行为一致性,言谈和举止发至肺腑,内心实在,真实无妄。要做到"诚",前提就是真实自己,"反身而诚"(《孟子·尽心上》),而后是与人来往真实,不欺不瞒,所以我们常说真诚待人。"信"针对的是人言语与行为的一致性,说话必须算话,"信者,言之实也","信是言行相顾之谓"(《朱子语类》卷二十一),所以我们常说信守诺言。当然,"诚"与"信"两字都突出了为人处世的一致性、真实性,所以国人一般连用"诚信"。

诚信这一古老的道德,具有巨大的时代价值。首先是诚信实现了社会活动的协调与配合。不论是古代的家、国、天下,人们之间的交往,还是现代社会的国家交往、人际交往,如果人们都不守信、守约,那么所有社会活动就会处于无序状态,人们的生活都无法顺利进行下去,甚至停顿、混乱;如果部分人不守信、守约,全社会的活动就必然降低效率,受到阻滞;如果大家都遵守达成的约定,社会活动才能高效、有序进行。其次诚信还是识人、用人的标准。诚信意味着既要真实地看待自己,又要取信于人,其反面就是欺世盗名,自欺欺人。因此,诚信就是认识一个人的一面镜子,能做到诚信的人才能感动别人,所谓"至诚而不动者,未之有也"(《孟子·离娄上》)。唯有诚信之人,才值得交往,才值得信任,才值得委以重任,正如孔子所说"信则人任焉"(《论语·阳货》)。诚信的价值还有许多方面,此处不一一赘言。据此不难看出,诚信是关乎个人生活、社会生活、国家生活的一项重要伦理。

三、廉洁:执政伦理

"廉洁"是执政者的道德伦理要求。"廉"字原意是指物体锋锐的侧边或棱角,如同镰刀那样尖锐锋利。《老子》中有"廉而不刿",说的就是做人有个性,有棱角,但不随便伤人。所以"廉"的引申义就是指为人正派、刚正、耿直,不苟且,不枉曲,不贪婪。而违背"廉"的人常常是官员,违背"廉"的事往往与钱财利益有关。因此,"廉洁"一般是特指对官员从政的道德标准,要求官员节俭、勤勉。与"廉洁"相对的反义词,就是"贪赃"。官员作为执政者,使用公共权力,有更多的机会支配各种财物资源。无数事实昭示:一个有私心、充满贪欲、追求享乐的官员,总是会通过各种途径,违背法律,扭曲制度,中饱私囊,最终危害百姓,祸及民族国家。虽然我国古代社会也有比较系统的监察制度、谏议制度、考核制度、公开选拔制度、回避制度,以及不断延续和丰富的典律,但任何制度和法律的实施都需要依赖人来执行,归根到底还是需要靠人的道德伦理做最后的保障。所以在中华民族的道德传统中,"廉洁"一直是非常重要的执政伦理。

在我们古代思想史上,有大量关于廉洁的执政伦理观念,在我们古代历史长河中,更有大量廉洁奉公、刚正不阿的清官。《吕氏春秋·忠廉》里说:"临大利而不易其义,可谓廉矣。"孟子认为:"可以取,可以无取,取伤廉。"(《孟子·离娄下》)《淮南子·原道》中说:"不以奢为乐,不以廉为悲。"贪赃和骄奢最容易使执政者腐化堕落,结果不仅使普通百姓遭殃,也使掌权者自身垮台,甚至使民族国家濒于危亡,历史上这样的例子不甚枚举。相反,廉洁的清官克制个人私欲,勤勉奉公,心忧天下百姓,置办许许多多利国利民的好事,彪炳千秋,总能受到人民的爱戴、称颂,譬如孙叔敖、姚崇、寇准、包拯、海瑞等等。

　　当今中国正走在开创民族复兴伟业的征途上,有大量的难关有待克服排除,我们就需要许许多多新时代廉洁的公务员。在很多时候,外部的敌人很难打倒我们,而坚固堡垒最容易从内部攻破。毋须讳言,我们的一些官员在稍微取得一点成绩之后,就渐渐丧失了克己奉公、廉洁无私的品质。而社会各方面的负能量更是试图拉拢我们的官员,使他们过一种骄奢淫逸的生活。这一切情形致使腐败成为影响中国崛起、社会稳定的重大障碍。"廉洁"正是当今中国的官员们亟需回归的执政伦理,亟需倡导的思想作风!